金鯉魚的百襇裙

林◆海◆音◆作◆品◆集

金鯉魚的百襉裙

文／林海音

遊目族

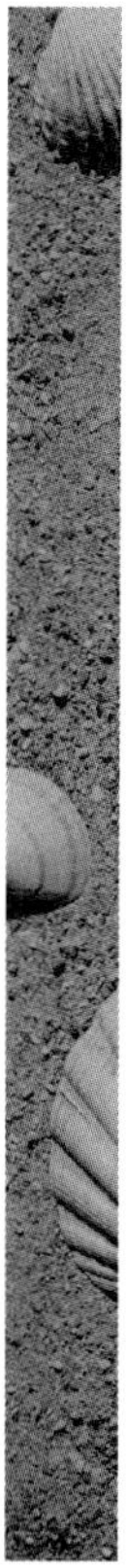

目錄

〈總序〉

超越悲歡的童年

齊邦媛

在新的千年開始時，遊目族文化事業公司出版《林海音作品集》是一件極有魄力且影響深遠的文壇盛事。新版聚攏了已開始散失的作品，給它們注入新生命，使新世代的讀者可以看到上一代的文采風貌，也給已逝的世紀保住了珍貴的文獻。林海音的身世背景、生長過程和豐盛的文學生涯見證了二十世紀台灣的省籍融合和文學胸襟的開拓。她個人在大陸的生長經驗和對台灣本土作家的發掘與鼓勵，對台灣文壇有極大貢獻，也具有難於超越的代表性。

海音在三十七年由北平回到光復後的台灣。當那艘船駛入青山環繞的基隆港時，她的心中必有一種強烈的感動，因爲她回到父母生長的故鄉來了。她在《綠藻與鹹蛋》小說集的序裡說：「幾乎是從上了岸起，我就先找報紙雜誌看，先弄個破書桌開始寫作。」在這個書桌上開始了一個文人最豐富的一生。她不僅寫下了多篇必能傳世的小說和散文；也曾成功地主編聯合報副刊十年，提升了文藝副刊的水準與地位；更進而自己創辦純文學出版社，發掘、鼓勵了無數的青年作家。

林海音作品中所呈現的是一個安定的、正常的、政治不掛帥的社會心態。她的小說集《城南舊事》、《燭芯》和《婚姻的故事》中，多篇是追憶她童年居住北平城南的景色和人物。其中如〈惠安館〉和〈驢打滾兒〉等篇，雖是透過童稚的眼睛看大人的世界，卻更啓人深思。由於孩子不詮釋、不評判，故事中的人物能以自然、眞實的面貌出現，扮演他們自己喜怒哀樂的一生。〈金鯉魚的百襇裙〉和〈燭〉進一層探討女子在不合理的婚姻中抑鬱終生的悲劇。她的長篇小說《曉雲》寫的是台灣的一個自主自立的現代女子，「暗中摸索」人生與愛情。作者常用近似意識流的自敘法和象徵性手法，故事的發展和她內心的困惑有平衡的交代。文字風格的超逸，給全書抒情詩的情調。曉雲的處境引起的同情反而多於道德的評判了。

在《城南舊事》裡，〈惠安館〉、〈我們看海去〉、〈蘭姨娘〉和〈驢打滾兒〉四篇都可以單獨存在，它們都自有完整的世界。但是加上了前面兩篇和後面兩篇，全書應作一本長篇小說看。作者自己在〈冬陽·童年·駱駝隊〉一文中即說：「收集在這裡的幾篇故事，是有連貫性的。」讀完全書後，我們看出不僅全書故事有連貫性，時間、空間、人物的造型、敘述的風格全都有連貫性。

貫穿全書的中心人物是英子。時間是民國十二年開始。英子由一個七歲的小女孩長大到十三歲。書中故事的發展循著英子的觀點轉變。故事雖是全書骨骼，她的觀察卻給它血肉。英子原是個懵懂好奇的旁觀者，觀看著成人世界的悲歡離合，直到爸爸病故，她的童年隨之結束，她的旁觀者身分也至此結束，在十三歲的年紀「開始負起了不是小孩子該負的責任」。人生的段落切割得如此倉卒，更襯托出無憂無慮的童年歡樂的短暫可貴。但是童年是不易寫的主題。由於兒童對人生認識有限，童年的回憶容易陷入情感豐富而內容貧乏的困境。林海音能夠成功地寫下她的童年且使之永恆，是由於她選材和敘述有極高的契合。

偌大的北平城，跨越了極深廣的時空的古城，在一個孩子的印象裡卻只展示了它親切的一角——城南的一些街巷，不是舊日京華的遺跡，卻是生生不息的現實生活，活得熱熱鬧鬧的。英子的家已經有了四個妹妹和兩個弟弟，胡同口還有「惠安館」中的瘋姑娘和苦命的妞兒。她們傳奇性的結局是故事，但是卻不是陰黯的故事。作者將英子眼中的城南風光均勻地穿插在敘述之間，給全書一種詩意。讀後的整體印象中，好似那座城和那個時代扮演著比人物更重的角色。不是冷峻的歷史角色，而是一種親切的、包容的角色。《城南舊事》若脫離了這樣的時空觀念，就無法留下永恆的價值了。讀者第一遍也許只看故事，再回頭看看，會發現字裡行間另有繫人心處。林海音的文筆最擅寫動作和聲音，而她又從不濫用渲染，不多用長句，淡淡幾筆，情景立現。因此看似簡單的回憶，卻能深深地感動人。有了這樣的核心，這些童年的舊事可以移植到其他非特定的時空裡去，成爲許多人共同的回憶。

《城南》一書中人物除了英子的雙親之外，與她童年歡樂的記憶有最密切關聯的要算宋媽了。在各篇中宋媽可說是無處不在，無疑地也是讀者印象中最難忘的人物。這位命運悽苦的卑微人物，在英子的回憶中自有她的智慧和尊嚴。作者在講別人的故事時常會插上一段描寫宋媽的文字。這些片段連綴起來合成一幅鮮明的畫像——不僅是宋媽的畫像，也可說是那個時代北方鄉村婦女的典型了。她被生活所迫，來到英子家中幫傭，但是主僕關係之外漸漸發展出一種朋友的關係。她不僅直接分享這家人的喜怒哀樂、生老病死，也常常是英子的人生課程的啓蒙師。她淳樸簡單的智慧時時是童騃的英子與現實世界的一座穩妥可靠的橋。

林海音在台灣開始寫作的年代（民國四十年前後），西方文學批評理論還沒有影響中國作家。至少像結構主義等還沒有今日響亮。但是成功的作品自有它完整的結構，讓錯綜複雜的人際關係各就其位，整體綜合再顯現出全篇的主題。〈驢打滾兒〉就是個很好的例子。在表面上它幾乎沒有緊湊的情節。但是在這個九歲的女孩——英子眼中看到的小世界後面卻是一個悲慘的大世界。從頭到尾作者不曾逾越這個孩子有限的觀察。她的天地幾乎是局限在五十年前北平城裡的一個四合院裡，院子裡住著的是她和樂溫飽的一家人。家就該是這個樣子，她弟弟的奶媽——宋媽是個會講鄉村故事、會納布鞋底子、會抱著她妹妹唱兒歌：「雞蛋雞蛋殼殼兒，裡頭坐個哥哥兒……」的人，與她們生活息息相關。英子看不到，也想像不到宋媽夫離子散的家庭，更不用提人生更多悲悽割捨了。她只知道宋媽爲了「一個月四塊錢，兩副銀首飾，四季衣裳，一床新鋪蓋」到她家幫傭，一做四年。宋媽和她那「黃板兒牙」的丈夫那時大約都不到三十歲，卻給人一種蒼老的感覺。每次這個男人牽著驢來的時候，故事的發展就升高一層。這匹愚鈍固執的牲口成了貫穿全局的象徵。四年前宋媽剛來時，這頭驢首次出現，然後每年來兩次，都被拴在院子裡，「滿地打滾兒，爸爸種的花草，又要被糟蹋了。」

驢子每次的出現不僅是作情節的聯繫，也襯托乃至增強了人物的造型。宋媽的丈夫又來的時候，終於說出了家中眞相——宋媽日夜掛念的兒子小拴子早已在河裡淹死了。那個出生連名字都沒有的「丫頭」，在抱離母懷當天，還沒出城門就送給了不相識的人！當宋媽悲泣時，這頭驢子在吃乾草，「鼻子一抽一抽的，大黃牙齒露著。怪不得，奶媽的丈夫像誰來看，原來是牠！宋媽爲什麼嫁給黃板兒牙，這蠢驢！」很明顯的，在小孩的眼中，驢與宋媽的丈夫的形象已經合而爲一。這個典型的「沒有出息」的失敗者與他的驢是分不開的。他每次來都趕著驢穿過幾十里的黃土地，藍布的半截褂子上蒙了一層黃土。這黃土是北方乾旱的原野上長年吹著的風沙，是大自然的勝利的見證，也是質樸愚騃的農民終歲勞苦奔波於生計的場所。

如果不穿透作者故意佈下的童稚的迷茫，〈驢打滾兒〉似乎有些詩意的情調。這篇城南舊事和許多童年美好的回憶一樣，已在遙隔的時空裡濾掉了許多愁苦，只剩下笑淚難分的懷念。只是宋媽和與她命運相同的女子不允許我們忽視現實。不僅那黃板兒牙的男人和驢子滿身塵沙，作爲故事題目〈驢打滾兒〉的小點心也是帶著卑微但卻親切色彩的鄉下食物，用世代相傳的土法蒸的黃褐色的小圓餅，在綠豆粉裡滾一滾，也就是塵土色了。宋媽把英子帶出她舒適的小院子去找尋丫頭子。在古城塵土覆蓋的街巷中走著，吃幾個這種塵土色的驢打滾兒小餅，繼續穿街走巷找尋那個沒名沒姓的骨肉。這一場無望的掙扎，注定了要失敗的。尋覓無望之後，英子的小世界有了顯著的變化：宋媽不再講小拴子放牛的故事了，兒歌也不唱了。以前她把思子之情灌注在納得厚厚的鞋底上，好似祝禱兒子能穩穩地站在無母的歲月裡等她回去團聚。如今「她總是把手上的銀鐲子轉來轉去的呆看著，沒有一句話。」

故事的結束可以說是傳統式的，宋媽終於跟她的丈夫回鄉去了。她希望再生孩子。小拴子和「丫頭」也許是命中與她無緣，因爲中國在世世代代的希望幻滅之後，不得不將生死聚散歸爲緣分。如同英子的母親說的，「是兒不死，是財不散。」宋媽對命運最大的挑戰大概是再生些兒子吧？她騎驢上路的時候，「驢脖子上套了一串小鈴鐺，在雪後新清的空氣裡，響得眞好聽。」這是第一次有歡愉的事與這頭驢有關聯。也許小女孩只在想宋媽不久即將再生可愛的小孩，所以鈴鐺響得好聽。實際上，宋媽的困境並未結束。但是人活著總得有份希望，即使是那頭驢灰撲撲的脖子也掛了一串鈴鐺。在生活的實際奮鬥中，絕望也不是件容易的事。

林海音在後記中說：「每一段故事的結尾，裡面的主角都是離我而去，一直到最後的一篇〈爸爸的花兒落了〉，親愛的爸爸也去了。」宋媽這樣地離去，是悲是喜，似非英子所能理解，但是書中因爲有了宋媽和她的故事，而加添了多層的深度。《城南舊事》在英子的歡樂童年和宋媽的悲苦之間達到了一種平衡。掩卷之際，讀者會想，「看哪，這就是人生的最簡樸的寫實，它在暴行、罪惡和污穢佔滿文學篇幅之前，搶救了許多我們必須保存的東西。」

這一篇我爲《城南舊事》寫的序文原是我在七十一年在美國加州大學講授台灣文學的一篇講稿，七十二年「純文學出版社」重排此書時林海音要我把這份分析與講解寫成序文。

初識海音是在讀她的《曉雲》之後不久，對她的文采與書中濃郁的關懷之情深感佩服。六十四年我主編的《中國現代文學選集（台灣）》英文本由美國華盛頓大學出版社發行，海音的〈金鯉魚的百襉裙〉是第一篇短篇小說，讀者反應很好，記得當我們英譯送請編審委員吳奚眞教授審稿時，一向嚴肅，不苟言笑的奚眞先生竟然感動落淚，暫忘了兩種語言的差距，在〈婚姻的故事〉中，作者以敏銳纖細的人生觀察寫出了二十世紀初葉，中國社會所允許，乃至鼓勵的種種性別不公平現象，其中〈燭〉尤其令人難忘，那個必須隱忍的「賢德」女子竟逃避到一燭光照的蚊帳之內，自囚終生！平日爽朗談笑，豁達舒展的海音，卻在寫小說時以無比的慧心將她的觀點濃聚在一條裙子、一支燭光中，令讀者在引伸思考之後感動難忘，和宋媽乘坐那匹驢子的鈴聲一樣，在雪後的清晨，響著無數可能的未來。

自一九七〇年代，殷張蘭熙將海音的小說英譯集成《綠藻與鹹蛋》等書，她也已將《城南舊事》前三篇譯成英文。我七十四年遭到車禍坐在輪椅上，將後兩篇譯出，寫了序，八十一年由香港中文大學出版社出版。在那本淡雅美麗的封面上有冬陽，有駱駝，書名 Memories of Peking- South Side Stories 。下面是作者林海音，英譯者殷張蘭熙和我的名字。念塵世生命之脆弱短暫，更感文學生命之久長。這一本書竟成了我們數十年談文論藝最美好的見證了。

〈序〉

作家·主編·出版人

鄭清文

三島由紀夫（一九二五—七〇）是多種身分的日本著名文學家。不過，開高健（一九三〇—八九）說他「一是評論家，二是劇作家，三是小說家。」三島如果聽到這些話，或許會感到一點悲涼吧。

林海音先生（我們都這樣稱呼她），也是一位身兼數職的文學家。她是主編、作家，也是出版人。從作品而言，她寫小說，也寫散文。

聽說她做《聯副》的主編時，因爲登了一首小詩，犯了禁忌，引咎下台。後來，她創辦了《純文學》雜誌，自任編務。不管是《聯副》或《純文學》雜誌，做爲一位主編，她具有獨特的眼光和作爲。當時戰鬥文學昌盛，她卻能把目光轉向純文學，刊用不少被其他報章雜誌所摒棄的優良作品，可說膽識過人。

林海音曾經告訴我，黃春明有兩篇文章，寫得很好，卻不敢用。這是時代的無奈。後來，她還是冒險用了。這是她喜愛好作品，敬重好文學的天性。她還告訴我，她退了一位名作家的稿。我很驚訝，也很好奇，問她用什麼理由說服對方。她說，這種文章不能登，否則會損傷作者以往的盛名。這是一位好編輯的面目。

林海音創辦《純文學》雜誌，是她的夙願。這份雜誌雖然只維持了五年（一九六七—七二），卻登了不少具有代表性的作品，包括小說、詩、評論和散文。這份雜誌在文學比較貧瘠的時代，提供了一個非常重要的園地。這也是她對台灣文學的貢獻。辦雜誌，最大的困難是稿源和讀者。以林海音的眼光和待人接物的風範，稿源問題似乎較小。但是因爲她標榜純文學，爲讀者劃了一條界線，限制了雜誌的銷售量。這也是純文學雜誌的宿命。

實際上，一位優秀的編輯和一位優秀的作家有一個共同點，就是能夠賞識好的文學作品。林海音是一位主編、作家和出版人。其中，最重要的應該是做爲作家的角色。她寫小說，也寫散文。她的小說遠比散文重要。她最後的小說《孟珠的旅程》，在一九六七年出版，做爲一個小說家，她已結束。不，應該說是已完成。以後，她雖然繼續寫文章，卻以散文爲主，包括遊記。她寫小說的終結點，正是她創辦《純文學》的起點，可見她爲了這個雜誌，犧牲了小說的創作。

林海音所處的是一個特殊的時代，很多人寫大時代、大主題。她卻寫生活、寫愛情、婚姻與家庭。她寫作的重點是女人的歡喜和悲哀。她的文學能深入社會，所以更能寬闊和深厚。

她雖然寫日常生活，卻也未忘記她所處的時代。她寫二十年代的北京，三十年代的南京，以及以後的台灣。她寫時代的交替，戰爭的陰影，兩地人民的阻隔。

台灣的文壇不是緩和前進的。一下子戰鬥文學，一下子現代主義。林海音文學，便是在這些文學的大潮流中間，守著自己的分寸。有一段時期，文壇風行文字的雕鑿，林海音卻充分使用生活語言，用她那敏銳的感受和細膩的筆觸，寫下社會的生態。她是擅於寫時代的女人。

她所處的，不管是中國或台灣，都面臨一個急激的變化。這使人和人的關係更加複雜，也更加尖銳，因此也導致各形各色的悲喜劇。社會和文學都在轉變中，林海音並不扮演一個開創者，她只做一座橋。

從前，有一位文學評論者，喜歡提出一些驚人的見解。他說某個文壇新星出現了，舊的作家，像葉石濤，都已過時了，只能做墊腳石。現在，二十年過去了，葉石濤還是屹立不墜，新星也沒有變成巨星。喧嘩和平實之間，應該如何選擇，是需要一點時間的。

金字塔並不是蓋在半空中。它是用一塊一塊的大石頭，紮實的堆上去的。墊腳石，其實也就是礎石，是金字塔的一部分。台灣的文學，一直沒有建立在穩固的基礎上，是因爲大家都想做堆在金字塔尖頂上的石頭。大家不知道要有更堅實的基礎，才能堆得更高，文學是多樣的，基礎卻是一種——從生活開始，正如繪畫要從素描開始一樣。

林海音把傳統文學的紮實基礎帶到台灣來。但是，在追求飛躍的文壇，她所受到的注意，除了《城南舊事》，似乎略嫌不夠。她的文學，聲光都不大，卻已樹立了一種典範。我們從她的作品，可以看到文學的莊嚴和尊貴。她能編，也能寫。兩者都使台灣的文學更爲充實。

林海音是一位直爽、敏銳，勇於力行的文壇長輩。她廣結善緣，敬重同輩作家，也鼓勵後輩。做人、做文學，她都一貫。由於她有這種特質，她一直走著平坦的路。她自己走這一條路，也帶著別人走這一條路。這是林海音，同時也是林海音文學。

金鯉魚的百襉裙

金鯉魚有一條百襉裙

金鯉魚有一條百襉裙，大紅洋緞的，前幅繡著「喜鵲登梅」。金鯉魚就喜歡個梅花，那上面可不是繡滿了一朵朵的梅花。算一算，足足有九十九朵。兩隻喜鵲雙雙一對地停在梅枝上，姿勢、顏色，配得再好沒有，長長的尾巴，高高的翹著，頭是黑褐色的，背上青中帶紫，肚子是一塊白。梅花朵朵，眞像是誰把鮮花撒上去的。旁邊兩幅繡的是蝴蝶穿花，周邊全是如意花紋的繡花邊。

裙子是剛從老樟木箱子裡拿出來的，紅光閃閃的平鋪在大沙發上。珊珊不知怎麼欣賞才好，她雙手撫著胸口，興奮的歎著氣說：

「唉！不得了，不得了，我從來沒有見過這麼美麗的百襉裙！」

她彎下腰伸手去摸摸那些梅花，那些平整的襇子，那些細緻的花邊。她輕輕的摸，彷彿一用力就會把那些嬌嫩的花瓣兒摸散了似的。然後她又斜起頭來，嬌憨的問媽媽：

「媽咪！這條百襇裙是你結婚穿的禮服嗎？」

媽媽微笑著搖搖頭。這時爸爸剛好進來了，媽媽看了爸爸一眼，對珊珊說：

「媽咪結婚已經穿新式禮服嘍！」

「那麼這是誰的呢？」珊珊又一邊輕撫著裙子一邊問。

「問你爸爸吧！」媽媽說。

爸爸並沒有注意她們母女在說什麼，他是進來拿晚報看的，這時他回過頭來，才注意到沙發上的東西。他扶了扶眼鏡，仔細的看了看，並沒有看出什麼來。

「爸，這是誰的百襇裙呀？不是媽咪跟你結婚穿的嗎？」珊珊還是問。

爸爸衹是輕輕搖搖頭，並沒有回答，彷彿他也鬧不清當年結婚媽咪穿的什麼衣服了。但是停一下，他像又想起了什麼，扭過頭來，看了那裙子一眼，問媽說：

「這是哪裡來的？」

「哪裡來的？」媽咪謎語般的笑了，卻對珊珊說，

「是你祖母的呀！」

「祖母的？是祖母結婚穿的呀！」珊珊更加的驚奇，更加的發生興趣了。

聽說是祖母的，爸又伸了一下脖子，把報紙放下來，對媽咪說：

「拿出來做什麼呢？」

「問你的女兒。」媽媽對女兒講「問爸爸」，對爸爸卻又講「問女兒」了，總是在打謎語。

珊珊又聳肩又擠眼的，滿臉洋表情，她笑嘻嘻的說：

「我們學校歡送畢業同學晚會，有一個節目是服裝表演，她們要我穿民初的新娘服裝呢！」

「民初的新娘子是穿這個嗎？」爸爸不懂，問媽媽。

「誰知道！反正我沒穿過！」媽咪有點生氣爸爸的糊塗，他好像什麼事都忘記了。

「爸，你忘了嗎？」珊珊老實不客氣的說，「你是民國十年才結婚的呀！結了婚，你就一個人跑到日本去讀書，一去十年才回來，害得我和哥哥們都小了十歲（她噘了一下嘴）。你如果早十年生大哥，大哥今年不就四十歲了？連我也有二十八歲了呀！」

爸爸聽了小女兒的話，哈哈的笑了，沒表示意見。媽媽也笑了，也沒表示意見。然後媽媽要疊起那條百襇裙，珊珊可急了，說：

「不要收呀，明天我就要拿到學校去，穿了好練習走路呢！」

媽媽說：「我看你還是另想辦法吧！我是捨不得你拿去亂穿，這是存了四十多年的老古董咧！」

珊珊還是不依，她扭著腰肢，撒嬌的說：

「我要拿去給同學們看。我要告訴她們，這是我祖母結婚穿的百襇裙！」

「誰告訴你這是你祖母結婚穿的啦？你祖母根本沒穿過！」媽媽不在意的，隨口就講了這麼一句話，珊珊略現驚奇的瞪著眼睛看媽咪，爸爸卻有些不耐煩的責備媽媽說：

「你跟小孩子講這些沒有意思的事情幹什麼呢？」

但是媽媽不會忘記祖母的，她常說，因爲祖母的關係，爸爸終於去國十年回來了，不然的話，也許沒有珊珊的三個哥哥，更不要說珊珊了。

爸爸當然更不會忘記祖母，因爲祖母的關係，他才決心到日本去讀書的。

在這裡，很少——可以說簡直沒有人認識當年的祖母，當然更不知道金鯉魚有一條百襇裙的故事了。

六歲來到許家

許大太太常常喜歡指著金鯉魚對人這麼說：

「她呀，六歲來到許家，會什麼呀？我還得天天給她梳辮子，伺候她哪！」

許大太太給金鯉魚的辮子梳得很緊，她對金鯉魚也管得很緊。沒有人知道金鯉魚的娘家在哪兒，就知道是許大太太隨許大老爺在崇明縣的任上，把金鯉魚買來的。可是金鯉魚並不是崇明縣的人，聽說是有人從鎮江把她帶去的。六歲的小姑娘，就流離轉徙的賣到了許家。她聰明伶俐，人見人愛。雖然是個丫頭的身分，可是許大太太收在房裡當女兒看待。許家的丫頭多得是，誰有金鯉魚這麼吃香？她原來是叫鯉魚的，因爲受寵，就有那多事的人，給加上個「金」字，從此就金鯉魚金鯉魚的叫順了口。

許大太太生了許多女兒，大小姐、二小姐、三小姐、四小姐，五——還是小姐。到了五小姐，索性停止不生了。許家的人都很著急，許大老爺的官做得那麼大，她如果沒個兒子，很遺憾吧。因此老太太要考慮給兒子納妾了。許大太太什麼都行，就是生兒子不行，她看著自己的一窩女兒，一個賽一個的標致，如果其中有一個是兒子，也這麼粉團兒似的，該是多麼的不同！

那天許大太太帶著五個女兒，還有金鯉魚，在花廳裡做女紅。她請了龔嫂子來教女兒們繡花。龔嫂子是湖南人，來到北京，專給宮裡繡花的，也在外面兼教閨中婦女刺繡。許大太太懂得一點刺繡，她說蘇繡雖然翎毛花卉山水人物無不逼肖，可是湘繡也有它的特長，因爲湘繡參考了外國繡法，顯得新鮮活潑，所以她請了龔嫂子來教刺繡。

龔嫂子來了，閨中就不寂寞，她常常帶來宮中逸事，都不是外面能知道的。所以她的來臨，除了教習以外，也還多了一個談天的朋友。

那天許大太太和龔嫂子又談起了老爺要納妾的事。龔嫂子忽然瞟了一眼金鯉魚，唠唠嘴，沒說什麼。金鯉魚正低頭在白緞子上描花樣。她這時十六歲了，個子可不大，小精豆子似的。許大太太明白了龔嫂子的意思，她尋思，龔嫂子的腦筋怎麼轉得那麼快，眼前擺個十六歲的大丫頭，她以前怎麼就沒想到呢！

金鯉魚是她自己的人，百依百順，逃不出她的手掌心。把金鯉魚收房給老爺做姨太太，才是辦法。她想得好，心裡就暢快了許多，這些時候，爲了老太太要給丈夫娶姨太太，她都快悶死了！

六歲來到許家，十六歲收房做了許老爺的姨太太，金鯉魚的個子還抵不上老爺書房裡的小書架子高呢！那不要緊，她才十六歲，還在長哪！可是，年頭兒收的房，年底她就做了母親了。金鯉魚眞的生了一個粉團兒似的大兒子，舉家歡天喜地，卻都來向許大太太道喜，許大太太高興得嘴都閤不攏了。

許大太太不要金鯉魚受累，奶媽早就給雇好了。一生下，就抱到自己的房裡來撫養。許大太太沒有什麼可操心的了。許大老爺，就讓他歸了金鯉魚吧！她有了振豐——是外公給起的名字——就夠了。

有許大太太這樣一位大太太，怪不得人家會說：

「金鯉魚，你算是有福氣的，遇上了這位大太太。」

金鯉魚也覺得自己確是有福氣的。可是當人家這麼對她說的時候，她衹笑笑。人家以爲那笑意便是表示她的同意和滿意，其實不，她不是那意思。她認爲她有福氣，並不是因爲遇到了許大太太，而是因爲她有一個爭氣的肚子，會生兒子。所以她笑笑，不否認，也不承認。

無論許大太太待她怎麼好，她仍然是金鯉魚。除了振豐叫她一聲「媽」以外，許家一家人都還叫她金鯉魚。老太太叫她金鯉魚，大太太叫她金鯉魚，小姐們也叫她金鯉魚，她是一家三輩子人的金鯉魚！金鯉魚，金鯉魚，她一直在想，怎麼讓這條金鯉魚跳過龍門！

到了振豐十八歲，這個家庭都還沒有什麼大改變，祇是這時已經民國了，許家的大老爺早已退隱在家做遺老了。

這一年的年底，就要爲振豐完婚。振豐自己嫌早，但是父母之命難違，誰讓他是這一家的獨子，又是最小的呢！對方是江寧端木家的四小姐，也才不過十六歲。

從春天兩家就開始準備了。兒子是金鯉魚生的，如今要娶媳婦了，金鯉魚是什麼滋味？有什麼打算？

有一天，她獨自來到龔嫂子家。

繡個喜鵲登梅吧

龔嫂子不是當年在宮裡走動的龔嫂子了，可是皇室的餘蔭，也還給她帶來了許多幸運。她在哈德門裡居家，雖然年紀大了，眼睛不行了，不能自己穿針引線的繡花，可是她收了一些女徒弟，一邊教，一邊也接一些訂製的繡活，生意很好，遠近皆知。東交民巷裡的洋人，也常到她家裡來買繡貨。

龔嫂子看見金鯉魚來了，雖然驚奇，但很高興。她總算是親眼看著金鯉魚從小丫頭變成大丫頭，又從大丫頭收房做了姨奶奶，何況——多多少少，金鯉魚能收房，總還是她給提的頭兒呢。金鯉魚命中帶了兒子，活該要享後福呢！她也聽說金鯉魚年底要娶兒媳婦了，所以她見了面就先向金鯉魚道喜。金鯉魚謝了她，兩個人感歎著日子過得快。然後，金鯉魚就說到正題上了，她說：

「龔嫂子，我今天是來找龔嫂子給繡點東西。」

於是她解開包袱，攤開了一塊大紅洋緞，說是要做一條百襇裙，繡花的。

「繡什麼呢？」龔嫂子問。

「就繡個喜鵲登梅吧！」金鯉魚這麼說了，然後指點著花樣的排列，她要一幅繡滿了梅花的「喜鵲登梅」，她說她就愛個梅花，自小愛梅花，愛得要命。她問龔嫂子對於她的設計，有什麼意見？

龔嫂子一聽金鯉魚說，一邊在尋思，這條百襇裙是給誰穿的？給新媳婦穿的嗎？不對。新媳婦不穿「喜鵲登梅」這種花樣，也用不著許家給做，端木家在南邊，到時候會從南邊帶來不知道多多少少繡活呢！她不由得問了：

「這條裙子是誰穿呀？」

「我。」金鯉魚回答得很自然，很簡單，很堅定。衹是一個「我」字，分量可不輕。

「噢——」龔嫂子一時愣住了，答不上話，腦子在想，金鯉魚要穿大紅百襇裙了嗎？她配嗎？許家的規矩那麼大，丫頭收房的姨奶奶，哪就輪上穿紅百襇裙了呢？就算是她生了兒子，可是在許家，她知道得很清楚，兒子歸兒子，金鯉魚歸金鯉魚呀！她很納悶。可是她仍然笑臉迎人的依照了金鯉魚所設計的花樣——繡個滿幅喜鵲登梅。她答應趕工半個月做好。

喜鵲登梅的繡花大紅百襇裙做好了，是龔嫂子親自送來的。誰有龔嫂子懂事？她知道該怎麼做，因此她直截了當的就送到金鯉魚的房裡。

打開了包袱，金鯉魚看了看，表示很滿意，就隨手疊好又給包上了，她那穩定而不在乎的神氣，眞讓龔嫂子吃驚。龔嫂子暗地裡在算，金鯉魚有多大了？十六歲收房，加上十八歲的兒子，今年三十四嘍！到許家也快有三十年嘍，她要穿紅百襇裙啦！她不知道應當怎麼說，金鯉魚到底該不該穿？

金鯉魚自己覺得她該穿。如果沒有人出來主張她穿，那麼，她自己來主張好了。送走了龔嫂子回到房裡，她就知道「金鯉魚有條百襇裙」這句話，一定已經被龔嫂子從前頭的門房傳到太太的後上房了，甚至於跨院堆煤的小屋裡，西院的丁香樹底下，到處都悄聲悄語在傳這句話。可是，她不在乎，金鯉魚不在乎。她正希望大家知道，她有一條大紅西洋緞的繡花百襇裙了。

很早以來，她就在想這樣一條裙子，像家中一切喜慶日子時，老奶奶、少奶奶、姑奶奶們所穿的一樣。她要把金鯉魚和大紅百襇裙，有一天連在一起——就是在她親生兒子振豐娶親的那天。誰說她不能穿？這是民國了，她知道民國的意義是什麼——「我也能穿大紅百襉裙」，這就是民國。

百襉裙收在樟木箱子裡，她並沒有拿出來給任何人看，也沒有任何人來問過她，大家就心照不宣吧。她也沒有試穿過，用不著那麼猴兒急。她非常沉著，她知道該怎麼樣的沉著去應付那日子——她眞正把大紅繡花百襉裙穿上身的日子。

可是到了冬月底，許大太太發布了一個命令，大少爺振豐娶親的那天，家裡婦女一律穿旗袍，因爲這是民國了，外面已經興穿旗袍了，而且兩個新人都是念洋學堂的，大家都穿旗袍，才顯得一番新氣象。許大太太又說，她已經叫了億豐祥的掌櫃的來，做旗袍的綾羅綢緞會送來一車，每人一件，大家選吧。許大太太向大家說這些話的時候，曾向金鯉魚掃了一眼。金鯉魚坐在人堆裡，眼睛可望著沒有人的地方，身子扳得紋風不動，她眞沉得住氣。她也知道這時有多少隻眼睛向她射過來，彷彿改穿旗袍是衝著她一個人發的。空氣不對，她像被人打了一悶棍子。她眞沒想到這一招兒，心像被啃蝕般的痛苦。她被鐵鍊鍊住了，想掙脫出來一下，都不可能。

到了大喜的日子，果然沒有任何一條大紅百襉裙出現。不穿大紅百襉裙，固然沒有身分的區別了，但是，穿了呢？不就有區別了嗎？她就是要這一點點的區別呀！一條繡花大紅百襉裙的分量，可比旗袍重多了，旗袍人人可以穿，大紅百襉裙可不是的呀！她多少年就夢想著，有一天穿上一條繡著滿是梅花的大紅西洋緞的百襉裙，在上房裡，在花廳上，在喜棚下走動著。窸窸窣窣的聲音，是從熨得平整堅實的裙襉子裡發出來的。那個聲音，曾令她羨妒，令她渴望，令她傷心。

一去十年

當振豐趕到家，站在他的親生母親的病榻前時，金鯉魚已經在彌留的狀態中了。她彷彿睜開了眼，也彷彿哼哼的答應了兒子的呼聲，可是她什麼都不知道了。

這是振豐離國到日本讀書十年後第一次回家——是一個急電給叫回來的。不然他會待多久才回來呢？

當振豐十八歲剛結婚時，就感覺到家中的空氣，對他的親生母親特別的不利，他也陷入痛苦中。他有撫養著他的母親、寵慣著他的姊姊、關心著他的父親、敬愛著他的親友和僕從，但是他也有一個那樣身分的親生母親。他知道親生母親有什麼樣的痛苦，因為傳遍全家的「金鯉魚有一條百襉裙」的笑話，已經說明了一切。在這個新舊思想交替和衝突的時代和家庭裡，他也無能為力。還是遠遠的走開吧，走離開這個沉悶的家庭，到日本去念書吧！也許這個家庭沒有了他這個目標人物，親生母親的強烈的身分觀念，可以減輕下來，那麼她的痛苦也說不定會隨著消失了。他是懷著爲人子的痛苦去國的，那時的心情祇有自己知道，讓他去告訴誰呢！

他在日本書念得很好，就一年年地待下去了。他吸收了更多更新的學識，一心想鑽研更高深的學問，便自私的顧不得國裡的那個大家庭了。雖然也時時會興起對新婚妻子的歉疚，但是歸結總是安慰自己說，反正成婚太早，以後的日子長遠得很呢。

現在他回來了，像去國是爲了親生母親一樣，回來仍是爲了她，但母親卻死了！死，一了百了。可是他知道母親是含恨而死的，恨自己一生連想穿一次大紅百襉裙的機會都被剝削了，對她是一件多麼殘酷的事。她是鬱鬱不歡的度過了這十年的歲月嗎？她也恨兒子嗎？恨兒子遠行不歸，使她在家庭的地位，更不得伸張而永停在金鯉魚的階段上。生了兒子應當使母親充滿了驕傲的，她卻沒有得到，人們是一次次地壓制了她應得的驕傲。

振豐也沒有想到母親這樣早就去世了，他一直有個信念，總有一天讓這個叫「媽」的母親，和那個叫「娘」的母親，處於同等的地位，享受到同樣的快樂。這是他的孝心，悔恨在母親的有生之年，並沒有向她表示過，竟讓她含恨而死。

這一家人雖然都悲傷於金鯉魚的死，但是該行的規矩，還是要照行。出殯的那一天，爲了門的問題，不能解決。說是因爲門窄了些，棺材抬不過去。振豐覺得很奇怪，他問到底是哪個門嫌窄了？家人告訴他，是說的「旁門」，因爲金鯉魚是妾的身分，棺材是不能由大門抬出去的，所以他們正在計畫著，要把旁門的門框臨時拆下一條來，以便通過。

振豐聽了，胸中有一把火，像要燃燒起來。他的臉脹紅了，抑制著激動的心情，故意問：

「我是姨太太生的，那麼我也不能走大門了？」

老姑母苦笑著責備說：

「傻孩子，怎麼說這樣的話！你當然是可以走大門……」

振豐還沒等老姑母講完，便衝動的，一下子跑到母親的靈堂，趴伏在棺木上，捶打痛喊著說：

「我可以走大門，那麼就讓我媽連著我走一回大門吧！就這麼一回！就這麼一回！」

所有的家人親戚都被這景象嚇住了。振豐一直伏在母親的棺木上痛哭，別人也不知道該怎麼勸解，因爲太意外了。結局還是振豐扶著母親的棺柩，堂堂正正的由大門抬了出去。

他覺得他在母親的生前，從沒有能在行爲上表示一點孝順，使她開心，他那時是那麼小，那麼一事無知，更缺乏對母親的身分觀念的了解。現在他這樣做了，不知道母親在冥冥中可體會到他的心意？但無論如何，他沉重的心情，總算是因此減輕了許多。

現在算不得什麼了

看見媽媽捨不得把百襉裙給珊珊帶到學校去，爸爸倒替珊珊說情了，他對媽媽說：

「你就借她拿去吧，小孩子喜歡，就讓她高興高興。其實，現在看起來，這些都算不得什麼了！那時，一條百襉裙對於一個女人的身分，是那樣的重要嗎？現在想來，眞是不可思議的。看女學生祇要高興，就可以隨便穿上它在台上露一露。唉！時代……」

話好像沒說完，就在一聲感喟下戛然而止了。而珊珊祇聽了頭一句，就高興得把百襉裙抱了起來，其餘，爸爸說的什麼，就完全不理會了。

媽媽也想起了什麼，她對爸爸說：

「振豐，你知道，我當初很有心要把這條百襉裙給放進棺材裡，給媽一起陪葬算了，我知道媽是多麼喜歡它。可是……」

媽也沒再說下去了，她和爸一時都不再說話，沉入了緬想中。

珊珊卻祇顧拿了裙子朝身上比來比去，等到裙子扯開來是散開的兩幅，珊珊才急得喊媽媽：

「媽咪，快來，看這條裙子是怎麼穿法嘛！」

媽拿起裙子來看看，笑了，她翻開那裙腰，指給爸爸和珊珊看，說：

「我說沒有人穿過，一點兒不錯吧？看，帶子都還沒縫上去哪！」

五十二年九月十五日

殉

繡花繃子繃得很緊，每一針扎下去，都會發出「砰」的一聲，然後又是絲線拉過軟緞，長長的一聲「嘶——」，繡花的人心無二用，專心在繡花的工作上。因爲太專心了，竟弄得鼻孔張著，嘴唇翹著，整個的臉也像繡花繃子一樣的繃得很緊。

最後的一張葉子就要完成了，然後拿去讓小芸她嬸嬸用縫衣機給打上邊，比較快當些。但是配個什麼顏色的邊呢？方大奶奶想著便停下了針，把繡花繃子舉到眼前一比。如果照她的意思，蔥心綠的邊，一寸半寬，最合適。可是誰知道小芸願意不願意呢？年輕人現在腦筋不一樣了，配起顏色來，也是怪裡怪氣的，這孩子就許這麼說：「媽！來個灰色兒的！」那可使不得，是結婚用的哪！

砰，嘶——，砰，嘶——，方大奶奶接著繡她的葉子。沒幾針，線完了，得再穿根新線，這可難了她。一根繡花針比近比遠都穿不進去，雖然戴著老花鏡。她不得不叫小芸了，可是她們同學幾個正在隔壁屋裡說得高興呢！在方大奶奶正要喊的時候，隔著紙門，她聽見劉家的小姐說話了：

「方小芸，你倒是去不去呢？」

「吃完飯再去吧，媽說留你們吃飯，她還特意上街給你們添菜去了呢！」

「現在還早，我們可以去了趕回來吃飯。我跟你說的那家委託行，有許多新到的耳環、花紗手套，都是你結婚要用的。我陪你去買，可以打個折扣。」

「說實話，」小芸很委婉地解釋，「我媽正在給我趕繡花枕頭，她眼睛不太好，每根線差不多都得我替她穿。快繡完了，我出去沒人給她穿針引線，工作就得停頓，不好意思。」

「哦——那就難怪了，人家方小芸急著等這對鴛鴦枕好入洞房呀！」

「別胡說，我媽才不那麼俗氣，繡什麼鴛鴦！」

「那麼伯母繡的是什麼花樣兒呢？」

「你們猜。」

「麒麟送子？」

「呸！」

「花好月圓？」

「無聊！」

「祝君早安？」

「又不是繡洗臉毛巾！我告訴你們吧，媽繡的是一枝初放的淺粉色的荷花，荷葉上露珠滾滾，旁邊是一隻蜻蜓點水。」

「好雅致，伯母怎麼想出這麼一個別出心裁的花樣兒呢？自己繡可也眞麻煩，爲什麼不花錢找人用機器繡呢？」

「是呀，我也說過，現在也沒什麼嫁妝的那一套了，可是母親滿心想趁我結婚溫習一下她舊日的手藝，我怎麼好攔阻她？我不是跟你們說過嗎，我的母親還是一個處女，她是最純潔不過的女人，所以她的藝術眼光也不同凡俗……」

——唉！這孩子今天怎麼這麼多話！

方大奶奶聽到這裡，不由得皺了下眉頭，她不願再聽下去了，她眞不知道小芸一向對她的同學們都是怎麼形容自己的母親？還預備怎麼說下去？她把繡花針別在軟緞上，輕輕放在桌上，便起身躡手躡腳的走出這間屋子。她知道小芸以爲她到廈門街買熟菜去了，所以才這麼放肆的談論著母親。

她一邊穿鞋又不由得想起半年前的事，她記得清清楚楚，小芸向她提出要和敏雄結婚的事。她早就看出在一群追求小芸的張三李四裡面，她的女兒是看中了那個駕噴氣機的陸敏雄了。噴氣機！從天空上「刷」的一下飛過去，總害得她的心也

「刷」的一下被摘了去。可是說老實話，她確實很喜歡敏雄。第一，他朝氣、生龍活虎的。不過，駕飛機，而且駕的是那麼快的噴氣機，三長兩短是保不住的，唉！她怕打仗，怕聽到死，怕快。所以她忍不住把利害對小芸說個明白：

「小芸，敏雄樣樣好，沒得挑剔，婚姻也是你自己的事，這年頭兒的父母做不了什麼主，可是——可是嫁給一個生命隨時有危險的軍人，尤其是敏雄，是駕噴氣機的，要有個什麼的話，你可得認命呀！」

她是過來人，她知道認命是什麼滋味，她可不願意叫小芸也有一天走上她的路。但是小芸這孩子聽了後，臉向著她，雙手搭在她的肩頭上，穿著緊裹著屁股的牛仔褲的兩腿分開站著，一條馬尾兒甩了一下，側著頭，倒像哄孩子似的笑說：

「媽！您那認命的時代早就過去了！我知道，是因爲爸爸的緣故，您才替我擔這份心的。不過做軍人的，在他的責任中，卻應當隨時有犧牲生命的精神，這和爸爸的情形又不同了。如果敏雄——他眞有什麼不幸發生，在這個大時代裡，我想我應當承當得起。媽！您放心，別爲我多慮。答應我——嫁給他。」

小芸說到後來顯得激昂起來了，兩眼噙著淚水，搭在母親肩上的兩手，搖撼了兩下，跟著小濕嘴兒吻了母親的老臉。她沒有把這套話背得很清楚，但是她聽得最明白的是小芸說的認命，「您那認命的時代早就過去了」，小芸這孩子幾時變得這麼會說話的？她祇知道小芸會撒嬌、會哄人，居然也會講大篇道理，還不肯認命哩！她沒了主意，便去找小芸的叔嬸，她把自己的意見和小芸的話敘述了一遍之後，便下了這麼個結論：「叔叔做主。」等著小芸的叔叔家麟來回答。誰知叔叔也站在小芸那一頭。

「也對，這不是講認命的時代了，如果小芸眞有這樣理智的見解，她就不怕嫁給一個隨時有性命之危的軍人。大嫂，你就隨了她吧！」

哦！叔叔也是這麼不認命的人，那麼講認命的該就是她一個人了。認命不對麼？她有點迷惘，愣愣地看著在屋裡來回踱著的家麟。她忽然發現家麟腦後的頭髮怎麼也白了許多呢？老了，大家都老了，攪不過年輕人了。記得家麟剛從法國回來的時候，穿著一身藏青嗶嘰的西服，站在堂屋地上喊大嫂。呀，莫非他現在身上穿的還是那套？應當是，褲子後面磨得油亮了，嗶嘰穿舊了，就是這樣。「大嫂，不用猶豫了，就放心給小芸張羅結婚的事罷！」直到嬸嬸說了話，她才從漫無目的的遐想中醒過來。

方大奶奶想著這半年前的往事，腳步不知怎麼竟走到後院廚房來，看見阿滿在切牛肉，她才想起她到廚房來是沒有什麼事的。她在廚房裡轉了一圈，掀掀鍋蓋，開開碗櫥，阿滿不高興了，鼓著嘴在瞪她，她這才從牆壁的釘子上取下了線網袋來，向阿滿絮叨著說：「牛肉不要切成大直絲喲！我再去買點兒什麼來，三個大姑娘，一定很能吃的。」

穿出兩條橫巷，本來是到廈門街的捷徑，可是方大奶奶沒這麼走，她出了家門便一直朝高處去。走上了水源路，眼界立刻開朗，但是有點喘，心也跳著。眼睛朝堤下望去，秋高水也漲了麼？怎麼今天看起來，水流得這麼急似的。她跟著流水的方向抬頭向上看，呀！川端橋西面是通紅的半個天！太陽是金黃黃的一個大輪子，就要沉下去了。是眼睛不好嗎？水流得那麼快，金輪子也滾得那麼急。她不常看見落日的情景，但是她還記得那次在北海的白塔頂上所看見的落日，比這沉靜多了，也是這麼一個黃澄澄的金輪子，徐徐地沉下，沉下，終於沉到她的視線所不能及的下面去了。她的心，就遙遠地隨著那金輪子墜下去了。那時北海是一片黃昏的蒼茫，水面上閃著一層微弱的金光，幾隻小船正向五龍亭划去。那剎那間的情景，深深的印在她的心上，有二十幾年，不，三十幾年嘍！日子也跟流水似的，急急忙忙的向前追，把她追老了，把小芸追到有一天要嫁人了，還不肯認命，這孩子！

認命，第一次告訴她要認命的，是她的二姊，也就是從暮色蒼茫中走下白塔來的事。也許二姊看她沉默不語，以為她心懷悲痛，所以挨近她，拉起她的手安慰說：「三妹，命裡注定的事也沒辦法，自己的身子要緊，看你瘦多了。閒下來繡繡花，看看書，回娘家來散散心，女人天生就得認命。」其實她不言不語，滿懷的是另一件心事，但是聽了二姊的話，她也不禁輕輕地歎口氣說：「我都知道，二姊。」

命裡注定的事怎能不認呢！如果那年父親不在火車上遇見他的同年方椿年，怎麼會有她和家麒的一段婚姻？或者父親在火車上遇見的不是家麒的父親，而是李景銘年伯、張東坡年伯，也許她做了李家或張家的少奶奶。即使父親遇見的是家麒的父親，而時間遲個幾年的，情形就許不同，她雖仍是方家的少奶奶，但不是大少奶奶，而是二少奶奶了呢！小芸常把「時代」掛在嘴頭，她的命運何嘗不是她那個時代所造成的呢？那年父親爲什麼回南方？是民國初的一次什麼內戰來著，祖父在揚州原籍病倒了，父親匆匆的決定回家探望，順便料理家裡的鹽務，她的娘家姓朱，是揚州的大鹽商呢！但是父親有書呆子氣，不能承繼祖父的鹽業，竟老遠的跑到北京讀書、做官，把母親接了來，就算在北京成家落戶了。怎麼這麼巧，方家的老爺子也回南方，也是這趟車。

那天她正在書房裡寫大楷，臨的是柳公權玄祕塔。二姊開門進來了，先喊一聲：「三妹，」探頭左右看看，又問說：「今天你一個人？老師和四弟五弟呢？」

「老師回家探母去了，四弟五弟到土地廟買蛐蛐兒去了。」二姊這時才從懷裡掏出一封信來，她知道這是父親剛從揚州寄來給母親的，密密層層的寫了好幾張，二姊從中間抽出一張來遞給她，笑著說：「看吧！別臉紅。」

……方府係金陵世家，椿年又與我有同年之誼，其長公子家麒現就學於京師高等學堂，英年秀發，前程遠大，與吾家芸女堪稱佳配，此次南歸與椿年同車，因諧此議，殆亦所謂天作之合也。汝意云何……

她怎能不害羞，紅著臉把信扔給二姊，二姊直羞她：「不笑話我了吧？你也一樣了呀！」她和二姊只差兩歲，二姊自從去年和昆山顧家訂婚後，便停止到書房來讀書，趕學繡花忙嫁妝了。在那年月，嫁妝眞是一件要緊的事，光是繡活就不知有多少件。除了自己用的以外，還要打聽好夫家都有什麼人，給婆婆繡鞋面、公公的眼鏡盒、小姑子的綢絹子，伯婆、嬸婆，都不可缺少。

她十四歲和方家麒訂了婚，便走出書房，回到繡房，《孝女經》還沒念完呢。本來說是十八歲和二姊同時出嫁的，但是她被延遲下來了，是因爲家麒身體不好，有病。這樣一拖，竟五年下來，二姊已經生了兩個孩子。她呢，枕頭一對對的繡，繡到後來，也不知道是給誰繡的了。一對寄給二姊，送顧家的小姑陪嫁；一對寄回揚州給表妹添妝；一對……。她曾歇了一陣子沒有繡，但不久因爲無聊又隨著時興樣兒繡十字布了，數著那細小的格子，交叉，交叉，紅線、綠線、紫線的繡下去。忽然有一天，一個重大決定的消息送到她耳邊來，說是家麒的病並無起色，方家要求索性給完了婚，沖沖喜氣。她的父母聽了先是一驚，但經過一陣考慮和商量，終於答應了。她雖然有點害怕，但糊塗的成分更多。她暗想，嫁過去也好，四弟五弟也訂了婚，如果她不嫁，弟弟們也成不了親。不是她女心向外，反正是方家的人了，嫁過去雖然廝守著多病的丈夫，也許眞的沖了喜氣，病就好了也說不定。可是，萬一——不想，不想，不想這些。

五彩的絲絨線，紅紙剪成的雙喜字，染得大紅大綠的花生、白果、桂圓，在她的每一件嫁妝上都繫著、貼著、藏著。每個人，做每件事，說每句話，都把吉祥的字句掛在嘴邊。那氣氛，不容易使人想到那個病人的身上去。所以在婚前，憂慮只算是一閃，並沒有使她十分不安。

日子終於到了，她被妝扮得鳳冠霞帔的上了轎。那轎子有規律的顚呀、顚呀、顚呀的，似夢非夢，一直把她顚到了另一個境界。她迷迷糊糊，被攙下了轎，拜過天地，進了新房，直到那紅蓋頭被掀開了，她的頭還是深垂著的。坐床之後，當她把眼皮稍一抬起，往橫一斜，首先看見的是旁邊地上的兩隻腳，穿的是青緞子千層底的雙臉鞋，雪白的洋襪子。她趁著屋裡沒有人的時候，閃快的又把眼睛向上溜了一眼，嚇她一跳——是個紙紮的人！不，不，不，該是她的丈夫。除非她的丈夫，誰有資格挨著她坐在一起！除非她的丈夫，誰會有那樣一副模樣！她這才夢醒了，心「咚」的往下一沉，一下就掉到深淵裡去了。她低頭看自己腳下穿的繡花鞋，被繡金的百褶裙蓋住了一半，只露出一段鞋尖來。一眨眼，兩滴淚正好落到捏在手裡的手絹上，她把手絹揉呀揉的，想把它揉碎了。

哄哄嚷嚷的過了許久，好像有長輩的女人在要求客人退出新房，以便新郎早些休息。人果然散了，跟著她聽到一些聲音：他在咳嗽、喘氣，痰盂拿來了，大口的血噴出來——有人說：「還是躺下吧，大少爺。」於是那青緞子雙臉鞋移動了，他被攙扶著上了床，從她的身邊蹭過，吃力的躺下去，跟著長久的吁出一口輕鬆的氣。又有人說：「今天晚上大少奶奶在老太太房裡歇著吧！」於是她被攙下了床，兩腿有點發麻，差點兒沒站穩。珠羅帳外，燭影搖紅，大紅緞子被，一層層疊上去。朱漆描金的箱子上，黃銅大鎖被映得發著金紅的光。到處都是紅的，紅的燭、紅的被、紅的箱子，紅的血！但她被攙出了這紅色的新房。這是她的新婚之夜。

她在家麒的有生之日，確實盡了爲妻的責任，家麒也眞正的感激她。過了新婚的三朝，她把伺候丈夫的責任從婆婆和老僕婦的手裡接過來。爲他換衣襪，煮蓮子羹，端湯餵藥，爲他抹去嘴角猩紅的血。在他精神好一點的日子，也能從床上坐起來，要她從書架上拿這書那書來看，這時她的心情也會隨著開朗，覺得他會漸漸好起來的。

有一天，他要她打開書桌中間的抽屜，取出他的一疊文稿。他抽出一張給她看，那上面寫著：

余與揚州朱淑芸女士訂婚已八年矣，魚軒屢誤，蓋因余病肺久不癒也，故每誦「過時而不采，將隨秋草萎」之句，必深悵觸，而對淑芸女士深感愧疚。今試寫新體詩一首，寄余相思之苦云：

啊！淑芸吾愛！
病魔的折磨，
日復一日，年復一年，
誤卻我倆的佳期。
使我愁緒懨懨！
啊！淑芸吾愛！
悠悠白雲，蔚藍的天，

寄我相思一片，
飄到吾愛的身邊。
…………
…………

她不太習慣這種顯得太露骨，沒有平仄，又不像舊詩那樣文雅鏗鏘的白話體，因此覺得有點好笑。但是那詩裡邊的意思也的確使她感動，那總算是情詩呀！總算是一個男人爲她而寫的情詩呀！她看完不由得微笑的遞還給家麒。家麒接過紙片，又伸過手來握住她的，那手不像手，溫嘟嘟、軟囊囊地搭在她的手背上。她心一麻，不由得把自己的手抽縮回來，伺候他躺下。看他兩頰泛著微微的紅潮，她在想：他不會總這麼瘦弱，等他一胖起來，就會像他的弟弟家麟一樣，因爲她看過他健康時和他弟弟合拍的照片，兄弟倆很像。家麟在清華大學住讀，回來過兩次看哥哥，她都曾見到的，所以她這麼想。

但是像這樣心情開朗的時光並不多見，自從家麒昏厥過兩次以後，她知道他已經病到什麼程度，她不能再欺瞞自己了。有一天，她剛從參局子買來的高麗參和阿膠還沒拆包，家麒便把她叫到床邊來，微弱的對她說：「淑芸，我不行了，委屈你了！」他連伸出那軟囊囊的手的力量都沒有，便昏了過去，這一次，他就永遠沒醒過來。

「一日夫妻百日恩」，她和家麒夫妻做了不止一日，足足有一個月，可是那也算是夫妻麼？她哭得很傷心，別人看了也心酸，但是，她哭的是什麼呢！

日子漸漸要靠打發來捱度了。白天，她還可以磨磨蹭蹭守在婆婆的身邊一整天。早晨幫婆婆梳頭，從把棉花撕碎塞進篦子裡到給婆婆篦頭、扎繩、抿刨花、挽髻、別橫簪、插上九連環金簪，就費去了大半個上午。接著弄這弄那。太陽升到中天了，看駝背老王把天棚拉上。下午很寂靜，偷懶的僕婦們都躲到下房去了，只有老俞媽在廊簷下洗老太太的水煙袋，呱嗟呱嗟呱嗟——呱嗟，三拍停一拍，這樣有節奏地呱嗟下去，是因爲老俞媽一邊幹活，一邊打瞌睡。她從廂房出來到老太太堂屋去，經過老俞媽跟前，總要拍拍她的肩頭咳一下，老俞媽睜開了眼衝著少奶奶傻笑。大竹簾子很重，掀開時簾子上的銅片兒敲著門框，又是呱嗟一聲，把坐在太師椅上打瞌睡的婆婆也驚醒了。她進來先替婆婆裝煙，從大榆木櫃裡拿出一包雙獅牌的福建煙絲來，那煙絲眞細，捏著軟綿綿的。聽婆婆抽煙有三個步驟，「呼篤」，吹燃那紙媒兒，「咕嚕咕嚕」的抽起來，然後提出那小筒子，倒過來向痰盂裡一吹，熱煙灰掉進水裡「嘶」的一聲，熄了。婆婆一面抽著水煙，一筒一筒的，一面絮談著家中的瑣事。她就站在硬木方桌旁，一邊諦聽著，一邊搓紙媒兒，黃色的表芯紙裁成一寸多寬，用掌心在光滑的桌面上一根一根的搓，搓了滿滿一大把，放在條案的帽筒裡。正中的自鳴鐘，金色的大圓錘正一秒一秒的擺來擺去，「五點多了！」不論是誰會這麼提醒一聲。天棚拉開了，夕陽照到廊簷下。老俞媽又牙疼了，她摘下一片夾竹桃的葉子，含在嘴裡嚼著，說這是治牙疼的。這時也許送花的來了，用晚香玉和茉莉串成的鮮花籃，中間插幾朵紅繡球。她挑了一個，交給陪嫁的張媽送回自己屋裡，她跟在後面走。到屋裡看張媽把花籃掛進珠羅帳裡，滿屋立刻清幽幽的散出花香來。擦得晶亮的煤油燈送進屋來，白天算是過去了。

她最怕晚飯後的掌燈時光，點上煤油燈，火光噗噗噗地跳動著亮起來，立刻把她的影子投在帳子上，一回頭總嚇她一跳。她不喜歡自己的大黑影子跟著她滿屋子轉，把燈端到大榆木櫃旁邊的矮几上去，那影子才消滅了。就這麼，聞著晚香玉和茉莉混合的香氣，她冷冷清清的把自己送進帳子。躺下去，第一眼從帳子裡看出去，就是箱子上高疊著十六床陪嫁過來的緞被。她幾乎每天都想一遍，就憑她一個人，今年才二十三歲，要到什麼年月，才能把這十六床被子蓋完呢？有個人，哪怕就是那麼病懨懨的一輩子，讓她無休無止的伺候著，也是好的，好歹是個人呀！或者——跟他圓過一次房呢，給她留下一兒半女，也讓她日子過得有盼頭兒！

轉過年來的清明，她守寡快一年了。那天早上，她起得特別早，因爲要準備家裡上供燒紙的事。家裡的女人們都忙著疊元寶，她也拿了一疊錫箔到自己房裡來疊。她一邊疊一邊想著剛才公公親自在裝元寶的白紙包袱上寫祖宗們名字的情景，老鬼寫完寫到新鬼家麒的名字時，公公深深的歎了一口氣，是的，還有什麼比老來喪子更痛心的？可是站在一旁新寡的她，豈不是更悲痛嗎？公公到底還有他的第二個兒子可以盼，家麟像鐵打的那麼結實，又聰明，又孝順，洋學舊學都能來，都已經大學快畢業了。她呢？她怎麼才是個了局？一樣的兄弟，家麒爲什麼就沒有像家麟那樣的身子骨呢？一樣的姊妹，她爲什麼就不能跟二姊一樣，丈夫兒女的福集一身呢？

她很納悶兒，竟心不在焉的停了手邊的工作，在愣愣的想著。忽然外面傳來了一陣皮鞋聲，她驚醒的抬頭向窗外望望，原來是家麟進來了，先叫：「嫂嫂！」

「哦——是二弟，你幾時進城的？」

「回來一會兒了，爹寫信叫我別忘了今天要回家來行禮。」

「是呀，人太少了，上起供來也冷清。」

「嫂嫂，我是要找一本《天演論》，記得哥哥有。」

「是有這麼一本書，我給你找。」

她裡裡外外的翻了一陣，都沒有找到。「也許在書架上。」她一邊對家麟說，一邊走上了書架的墊腳凳。就在回頭的一瞥下，心裡一愣，家麟的眼爲什麼這樣看著她？她心慌了，取書時差點兒歪倒下來。「我來，嫂嫂。」家麟說著，很快的走過來了，就在她一歪之間，他扶住了她，她伸出手來，手就被他握住了，緊緊的。她更心慌了，臉也發燒，輕輕的把手縮回來。那奇異的一握究竟有多久？只一刹那吧？可是在她卻是個永恆。在這一生中，她有一種最不明白的事，就是家麟爲什麼那樣看她，那樣握住她的手？他不是輕薄的人，她知道。那麼他是憐憫她的遭遇？還是她自己把手伸出去的錯誤呢？她也不明白自己，爲什麼在那急促間竟不由得伸出手去呢？她並不討厭家麟，一直把從來沒有見過的健康時代的丈夫的影像，投在家麟的身上，難道這便是那小小罪過的根源嗎？當時他是怎樣走出她的屋子，她簡直不記得了。但是她記得很清楚的是過後不久，她就站在院子裡看燒包袱了，火勢順著春風向西吹，紙灰飄飄揚揚的升上去。公公奠酒，很嚴肅的端了一杯酒，繞著包袱灑潑。她的心亂糟糟的，卻隨著紙灰兒飄呀，繞呀的。

她沒有喝酒，可是覺得醉沉沉的。這點感覺，今生也只給過她那麼一次而已。就在那天的下午，二姊派了車子來接她到北海散散心，走到白塔頂上，便看了那一次最美的日落，她的些許沉醉的心緒，就隨著那個日落墜下去，再也找不到了。太陽還是那個太陽，天天在昇在落，人的情形就不同了。……

呀！怎麼這樣糊塗的，要到廈門街，竟追著那個日落走過了頭，跑到川端橋上來幹麼？方大奶奶從橋上退回來，責備著自己，眞是老了，精神總是這麼恍恍惚惚的，早上繡花針別在自己胸前的衣襟上，卻到處亂找，還是小芸看見了：「喏喏喏，不就別在您心口上了嗎！」

「記性壞透了，總是忘。」

「可是有件事您沒忘，放在爸爸紡綢小褂左上口袋裡陪葬的那張全身小照！」

小芸就是這麼淘氣，惹人疼愛，小嘴兒一會兒是蜜，一會兒是針。

陪葬，也許小芸比喻得不錯，她是為陪葬而嫁給家麒的嗎？從北海回來的那天晚上，她老早就睡下了。她翻來覆去地想了許久，二姊說得最對，她得認命，因為她是女人。無論她覺得家麟怎麼不討厭，那也是一件不可原諒的事，她要躲著他些，出了笑話，兩家的名聲要緊，父親和公公的名字說出來都是叮噹響的，他們可不是隨隨便便的人家呀！她把被子拉上來，蒙住頭，眼淚撒開的流。遠處雞叫了，她才迷迷糊糊的睡著。醒來，東昌紙的窗格子上，滿是太陽光。她支起身子來，頭發重，十字布枕頭上繡的「春眠不覺曉，處處聞啼鳥」的詩句，沾滿了黃色的淚漬。

那張陪葬的照片，她只對小芸說了一次，這孩子就記住了，還常常說出來取笑她呢！那張照片的姿勢她很喜歡，是十六歲時照的，元寶領子敞開著，高高的，頭髮前面的劉海是剪得像個人字形，胸前捧著一把芍藥，站在書房門口，是那年父親的生日叫了廠甸的鑄新照相館到家裡來拍的。照片擺在家麒的枕頭邊，給他看著玩的。他死後換裝裹，她就順手拿了塞進死鬼貼身紡綢小褂的口袋裡了。唉！隨了他去吧！在更早的年月裡，女人還得活生生的以身相殉呢，她雖沒這麼做，但是自從這張小照陪著他一同進了那口楠木棺材以後，她這一生和殉葬又有什麼不同！

她是聽從了二姊的話，在寂寞中又拿起了繡花針。那時的眼力可真好，她記得繡一隻鸚鵡就用了十六色的絲線，放在現在可要難死她了，到了晚上連藍綠色都分不清楚。提起繡線，她最想念三嬸婆，那時三嬸婆也像她現在的歲數吧？可是她就眼不花、耳不聾的，也喜歡縫縫繡繡。她們常一同到絨線胡同的瑞玉興去買繡線，坐在玻璃櫃檯的旁邊，夥計端茶拿菸，從樓上把大批的繡花線拿下來，隨她們慢慢地挑選。

坐在敞亮的玻璃窗下刺繡，是她這一生中主要的生活。繡線分色夾在一本厚厚的洋書裡，一根根的抽出來，扎在軟緞上、十字布上、白府綢上。有一個時期她坐在窗下繡花，盼望著一個奇怪的日子——禮拜六。常常是在駝子老王把天棚拉開了，她就把手中的活計扔在桌子上，伸伸懶腰站起來，隔著鏤空紗的窗簾向外發愣。外院響起了皮鞋聲，是家麟從郊外的大學回來了，那高大健壯的身影走進垂花門來，就會使她心胸澎湃，像海浪那樣的鼓動著。他還像個大孩子，低頭用腳點數著墁著大方磚的院子向公婆的房裡走。婆婆也許早慈愛地等待在院子裡了，他看來滿心快活，迎上去叫一聲「姆媽」，就被婆婆擁進堂屋裡去了。她覺得很孤寂，心裡沒著落，望著對面通跨院的四扇綠屏門上的四個大紅字「紫氣東來」，好久好久。

她要保留一份矜持，所以雖然滿心牽掛，卻也不肯輕易在這時到婆婆屋裡去。她知道婆婆給他唯一的兒子預備了點心，是餛飩或是蒸餃，實在這都是她忙了一下午幫著婆婆做的。婆婆會告訴他「這是你大嫂做的」麼？他吃了會怎麼想？他怎麼不再到她房來借這書那書了呢？還是因爲她躲避他，而使他不敢來了呢？常常是直到晚飯桌上，他們才相見，他會很禮貌的叫聲「大嫂」，那麼自然，就像從來沒發生過什麼事似的。唉！本來那也算不得什麼吧！是她自己在牽腸掛肚，她不該的。

一個禮拜一次的盼望，到底也有了結束，家麟大學畢業就到法國去留學了，公婆雖然捨不得唯一的兒子遠遊，時代潮流，可也阻擋不住。婆婆最怕的有一件事，臨行之前還再三地囑咐：「記住，不要討了洋婆子回來呀！」滿屋的人聽著都笑了。家麟是方家最年輕，也是最維新的人物，他一直反對家庭給他訂婚，父母也沒辦法。其實在那個年月，外面的新潮流已經衝到許多古老的家庭裡了，像她差不多歲數的女學生，她早就聽說有反抗家庭婚姻的啦！守寡再嫁的啦！跟人私奔的啦！孤身到外國留學的啦！老人家聽了在歎息，她也不免驚異那些女子的大膽。說這些女子不該嗎？可是她在家麟買回來的雜誌書本裡卻讀到了讚揚這種女子的文章。當然，她也是被讚揚的，親友之間誰不讚揚她的繡工，她的爲人，她的貞潔和孝順。公婆確實很疼愛她，財產早就給她留下來不動的，每月賬上分到的零用錢也特別豐富，這也是對她的一種補償吧！買繡花線能花得了多少錢呢！大紅大綠的中交票子，一疊疊的存在箱底，夠了個數便送到廊房頭條的開泰金店去，擰麻花的赤金鐲子一對對的換了來。有時她很納悶兒，覺得這些補償似乎仍是缺欠了什麼。她茫然的想到雜誌上讚揚那些女子的話，是有些道理嗎？

家麟一去七年才回來，帶回來的二奶奶雖不是洋婆子，確也給了她一些不安。這七年中，是經過了北伐的革命，北京城變了，春明舊夢已經成了過去，潮流帶來了新的思想、新的事務，在她那古老的家庭裡聽起來很新奇，有些贊成的，有的很反對，但無論贊成或反對，好像都與她的家庭不相干，彷彿他們只是站在一旁看熱鬧罷了。那是因爲這家裡缺少了一個能領著迎上前去的人物。一直到家麟回來以後，這家才顯得不同些。

是嚴冬的晚上，堂屋裡燈光輝煌地等待著遊子歸來。去時一個人，回來三個人，老人有無限的欣慰。她掀開厚重的棉門簾子，一眼就看見家麟正站在堂屋地的中央，穿著藏青嗶嘰西服，頭上戴著法國小帽。「大嫂！好！」他雖滿面風霜，可是眼裡閃著光采，精神好極了。她也展開了笑容說：「二弟，你一路辛苦了！」然後他把身旁的女人介紹給她：「大嫂，這是您的弟妹露西。——露西，這是我們的大嫂。」她一看，新來的二奶奶露西，粉白的臉上架著金絲眼鏡，頭髮燙得短短蓬蓬的，頭上也頂著法國帽，穿的是綠絲絨的洋裝。再往下看，喲！站在地上摟著媽媽腿的那個小崽子，也是一頂法國帽。三頂怪帽子！她笑了，趕緊把下嘴唇咬住，才算沒笑出聲來。

新人物的確給老方家帶來了許多新氣象，三頂法國小帽，二少奶奶的洋裝，都漸漸看慣了。還有和他們交往的一些朋友所說的舌頭打顫的法國話，總算也聽慣了。剛一聽時，老俞媽會忘記牙疼，捧著腮幫子一路笑到下房去。婆婆有病也不堅持非要四大儒醫的汪六爺按脈了，而且竟打破方家的紀錄，居然那一次住到德國醫院請洋鬼子狄伯爾主治的。二奶奶是個很和氣的人，雖是一個人離家遠到巴黎去留學，但也和家常的女人一樣有說有笑的，她沒有理由看二奶奶不順眼。二奶奶常常說一些新女性應有的新觀念給家裡上上下下的人聽。不錯，女人可以離婚啦，自由戀愛啦，再嫁啦，都是應當的，因爲時代不同了。可是，怎麼就沒有一個人出來主張讓大奶奶再嫁呢？當然，當然，當然，這絕不是說她想再嫁了，她只是隨便想想罷了。

小芸的誕生，確實給她的生命帶來了新希望。她記得前些日子聽家麟和朋友聊天兒，家麟說了這麼一句話：「對於目前要有信心和希望，不然日子就難熬。」她很能體會這話的意思，她不就是因爲身邊有了小芸，日子才算熬——熬到現在麼？是二十四年前，當二奶奶懷第二胎的時候，一個非正式的家族會議舉行了，要求二奶奶生下來的，不論是男是女都過繼給大奶奶。二奶奶非常同意，她在教書，正樂得免去帶孩子的辛苦。紅胖的小芸一出世就送到大奶奶房裡來。那年她已經三十四歲了，才第一次嘗到做母親的滋味。

她很愛小芸，每逢她緊緊摟著小芸胖胖的小肉體時，除了親子之愛以外，在內心中還蕩漾著一種神祕的快樂。她常常想：這是她的孩子，也是家麟的孩子。許多人都說小芸的眼睛很像她，但是她更喜歡逗著小芸對人說：「大手大腳的，跟她叔叔一樣！」然後舉起小芸的肥手送到自己的唇邊親吻著。就憑著自己內心常常泛起的這點點神祕的快樂，和對下一代成長的希望，唉！這麼許多年竟也過來了。

…………

「方老太太，買點什麼？」店夥看見老主顧進門，立刻熱心地招呼。

「啊！家裡來了客人，怕菜不夠。給我切上四根，不，五根臘腸，鹽水鴨也來半隻好了。」方大奶奶在這家南京人開的小店買了好幾味熟菜，看店夥計包好了，付過錢。走出小店的門口，仰頭看看，西天還有一點點殘餘的晚霞，這邊星辰已經急趕著上了中天。——可得快些了，這回可不要走水源路，還是穿小巷回去吧。小芸等急了會跑出來找她的。這孩子，是個懂事的孩子，二十四年來，如果沒有小芸，她的日子怎麼過！可是她長了翅膀會飛了！想到小芸就要結婚，她不免心酸。當然，小芸會把母親接了去，她說過不止一次了：「等結婚後換了大些的房子，我就接您去。以後我當家，說好了，不許您下廚房，只要您享老福！」她自己也知道，近來太憂鬱了，不安和悲涼襲擊著她，這種感覺就和家麟剛回國時一樣，那次是因爲出現了二奶奶，這次是敏雄，都是摘她心肝的人！她知道這憂鬱是多餘的，可是避免不了，隨它自生自滅，慢慢就會好的。

巷口的街燈是個標記，一轉過去就到家了，腳底下盡是泥，可得小心喲！

方大奶奶推開虛掩的街門進去。嗯？屋裡有好幾個人影？啊！是小芸的叔叔嬸嬸來了。他們正圍著她的繡活在欣賞。

——幸虧多買了半隻鹽水鴨，再炒一盤茭白，都是叔叔喜歡吃的。她這麼算計著，提著線網袋就直往廚房走去。

四十六年二月十五日

燭芯

一

外面的風漸漸大起來了，吹得竹籬笆喀喀的響，好像要倒下來的樣子。但是過一會兒，風又停下來，天也暗了，室外倒因爲風乍停而顯得格外的寂靜。元芳從廚房後窗看出去，稀落的籬笆外，總彷彿閃著影子，怪怕人！她後悔沒有把凱利從劉家帶過來。就算凱利還小，可是有幾聲狗叫，就管事得多。因爲以後俊傑出差的事，總是難免的。

元芳把菜都熱好了，她懶得把飯菜端到飯廳去，也懶得把菜盛在盤子裡，兩樣剩菜就連著鍋子，擺在廚房的切菜小桌上。就著桌旁的小米櫃坐下來，一個人吃著晚飯。

多年來儉省的生活習慣，已經使她變得沒有理由的苛待自己了。她又接著吃剩魚頭。魚頭熬豆腐湯加上幾粒花椒，這麼一個早年跟嫂子學來的菜，想不到竟合了俊傑的胃口，結婚以來燒了五次，不，六、七次嘍！每次俊傑都把魚湯喝光了，一邊喝，一邊誇讚魚湯的鮮美。

外面的風又大起來了，總是在休息一陣以後，就比前一回更大一些，颱風眞的來了。這個颱風叫什麼名字來著？噢，叫露西，一個女人的名字，和鳳西，那個女人的名字差不多，而且也一樣的厲害！忽然一下子，黑了，電燈滅了，閃亮了一下，又滅了！颱風的勁頭兒開始了！

藉著煤油爐的火光，她摸到了火柴盒和半段蠟燭。她把蠟燭點著以後，可沒心再接著吃飯了，便把碗筷收拾收拾，拿到水槽去洗。

她倒很佩服氣象台，這回大概預測得很準確。白天收音機裡不是預報說，今天晚上露西會在台灣島掃個邊兒嗎？嘖嘖！掃個邊兒就這麼凶，要登岸可怎麼辦呢！她倒想起來了，俊傑的毛衣還在外屋的椅子上扔著，說是到南部去不會冷，就不肯帶去，唉！總是有把年紀的人了，冷啦熱啦的，就是不能跟年輕小伙子比呀！早該硬給他塞進手提袋的，可是他偏不，就在火車上，他非把毛衣交給她不可，還附在她耳邊悄悄地說：「看人家都穿香港衫，我穿整套西裝就夠瞧的了，別讓人家笑話我老了，不行了！」聽他這麼說，她這才抿著要笑的嘴，把毛衣拿開了。隨後俊傑又對她說：「我要去一個禮拜呢，悶了就鎖上門找小倉、小珊他們小哥兒倆玩玩去，或者把他們接來陪你兩天，聽見沒有？元芳！我一完事，會緊趕著回來。」

有關心、有期待的小別，使她覺得這裡有無限的夫婦間的情意。他們雖是新婚，可都不是年輕人了，但這滋味兒總是甜甜的，一種甘苦共嘗的偎依，未形諸於外，可是都含蓄在兩人的心田中了。

她眞應當聽俊傑的話，把小倉和小珊——甚至於凱利，都接來住幾天，讓劉先生跟劉太太寂寞兩天，算得了什麼呢！說不定劉太太會說：「去吧，去吧，全部都去吧，我們倒樂得清靜幾天！」

她想到這兒，笑了，蠟燭又流下了淚，她用手去捏捏，就像小倉淘氣，玩他那燒軟了的蠟筆一樣。想起小倉和小珊兄妹倆，她望著蠟燭的一朵黃光，心就不由得悠悠的到了劉家——那三間木板房，一對粗壯的山東夫婦、一雙小兒女，合起來就是一個姓劉的家。這個家普普通通，但是平平安安。

元芳從頭上取下一個髮夾來，用它剔剔牙，又去挑挑燭芯，這樣亮些了。

火車淒厲的尖叫聲，自遠而來，直穿進人的胸膛。是南下的？還是北上的？載了多少離人？她在亂想，想著想著，車廂裡的面孔換了一個，車站也不是滿植著鳳仙花的台灣小鎮的車站了。那地方，那人物，彷彿都是昨天的，眼前的，可是算一算，也有二十四、五年了，呀！二十五年了，一個世紀的四分之一。整整的二十五年，一個女人把她生命的多一半時間，放在等待上。

二十五年，元芳想著有點不甘心，她用髮夾用力去戳那燒軟的燭芯。這一來，光小了，燭油直向外流。那也是一次新婚的離別，但和這次比，卻是兩般心情。當時十八歲的她，是多麼的志高氣昂！是她鼓勵那個人走的，她說：「志雄，你儘管走，我天津總算還有個好娘家，讓我生下了孩子，再打算怎麼去找你吧！」

二

十一月初冬的北平，是一片肅殺的氣象，這時是七七事變剛過四個月。表面上這個古城的生活，彷彿安靜下來了，其實安靜下來的祇是善良保守的老百姓，在沉默的觀看日本人的所作所爲。但是對於另一些人是更緊張了。

元芳和志雄剛結婚半年多。元芳的身體一向就是孱弱的，現在又懷了五個月的身孕，就更加處處小心了。她看志雄表面上很鎮定，其實她知道他內心是多麼地焦慮。許多次他從外面回來時都帶來不幸的消息說，哪個同學、哪個同事失蹤了，當然就是被日本人捉去了。志雄是記者，而且是活躍的青年記者，無疑是會被注意的。說不定日本人早就布下了天羅地網，不定哪天就動手呢！他雖然不是一個跑政治新聞的記者，筆下所寫的東西，也都是較輕鬆的一類，但是他曾寫過不少特寫，都是關於青年學生的活動，什麼演話劇捐款種種的，全是宣揚青年學生愛國的熱情。靠了他的有力的特寫，那些活動會強烈的灌入了人心，給人更高昂的愛國心，現在，連平日無聲聞的同事同學都有很多被捉進去的了，何況他這個活躍分子呢！

他們也知道，有很多朋友陸續偷偷地離開北平南下了，前些天還有同學來，說了這麼一句話：「你們還待在這兒等什麼哪？」眞的，還待在這兒等什麼哪？雖然志雄當時苦笑說：「我想我還沒有什麼關係吧。」其實元芳知道，他是爲了她才留下的。所以當那同學走後，元芳就正式的提出了要走的話。可是志雄說：

「你別把走看得太容易，你和普通人不同，是有身孕的。我想，好在還有四個月你就生了，那時正好是明年春天，我們再做打算不晚。」

話是這樣說了，可是大家的心情並不輕鬆，天天都聽見有朋友被捕的消息。有一天，本段上有警察來查戶口了，隨同著的是日本憲兵。警察是熟悉的劉巡官，當了幾十年的警察了，他進來了，卻繃著臉說：

「查戶口，你們這戶是幾個人？」

元芳回答說：「祇有兩個人。」心裡可是怦怦的跳。她想劉巡官是熟人，怎麼今天不打招呼，倒反問起這樣陌生的話來了？難道有嚴重的事情將要發生嗎？這時志雄也從書房到客廳來了，他沉靜的等待著來人發問。在日本憲兵的旁邊，還有一個翻譯，她看看，很眼熟，想不起是誰了，心裡在想，怎麼這麼快就當了漢奸替日本人做事了？

陸續問的是在哪裡工作？志雄撒了謊，說是原來在天津小白樓一家布店管賬，結了婚想到北平來找事。元芳心又跳了，他撒的謊固然有點來歷——因爲她的娘家在天津，她的舅舅在小白樓開布店。萬一戳穿了怎麼辦呢？可是日本憲兵聽了那翻譯嘰哩咕嚕的翻了一陣以後，倒沒有說什麼，彷彿不在意的樣子，就草草記下走了。

到了晚上，劉巡官卻穿著便裝來了。這回看見劉巡官來，他們都想著也許有什麼不對勁的事了。劉巡官沒有什麼多話，祇是輕描淡寫地說：「日本人查您這兒的戶口，可不止一次了。」說了他就走了。

這一晚，志雄和元芳做了長夜的商量。元芳說：

「志雄，你走吧。」

「你呢？」志雄撫著元芳常年汗濕的手。

「我嘛，你不用擔心，我是有身孕的人，他們不會對我怎麼樣的。」

「可是我怎麼能丟下你一個人走呢？」

「你怎麼這麼傻！志雄，」她這時勇氣百倍，不是裝出來的，是出於她的眞心，「你儘管走你的，我天津總算有個好娘家，讓我生下了孩子，再打算怎麼去找你吧！」

於是，在事不宜遲的情形下，他們就連夜的打點，該燒的書信、照片，都燒了，該送人的衣服紮成了幾個小包。他決定乘第二天早晨的火車走。

她一點都不知道疲倦，雖然白天受了驚嚇，又收拾了大半夜，卻還有一股力量鼓勇著她。她也不懼怕什麼了，反而覺得解決了一件事一樣的輕鬆。

躺在床上，實在也睡不著，志雄摟著元芳瘦弱的身子，輕撫著她的肚子說：

「我會想你們倆。」

元芳也把手臂抱著志雄的腰，偎在他的懷裡，衹是偎依著，什麼也沒有說。當前情勢的緊張，使他們沒有太多的兒女離別之情了。他們衹是商量著，他走了以後的事情：怎麼回天津，怎麼待產，怎麼通信。他們不以爲這別離會太久的，別離比不別離更安全，不是嗎？志雄還告訴元芳，白天那個眼熟的翻譯，是他同學的弟弟，因爲隨父親在日本做外交官，所以讀了幾年日本書，現在他的父親在南京，他的哥哥也走了，他今天看見他，裝做不認識，卻了解他給日本憲兵當翻譯的意義了。他說，這些都是可感激的人——僞裝的漢奸翻譯，和不動聲色的老巡官，還有，就是他的勇敢的元芳了。

這些雖不是什麼海誓山盟的話，可也是夫妻間的一番情意啊！她才十八歲，十八歲的勇氣是可驚的。她確是這麼一個人，嬌小文弱的外形，事事都能遷就別人，但是臨到要面對現實的時候，她卻有無比的勇氣！就拿她演話劇的天才來說吧——她和志雄不就是因爲演戲才認識而結合的嗎？她不輕易答允做什麼事的，可是學校爲了要演話劇捐款，請她演一角，她就答應了。排演的時候，沒人看出她的才華和特點來，但是到了台上，她的發揮竟使同學大驚，她是次女主角，鋒頭卻幾乎要壓過女主角了。志雄是記者，給她照相，從此認識了她。他們頭一年訂婚，這一年，她高中還沒畢業，就提前結婚了。

小小的新娘，未來的母親，就要和丈夫離別了。看看，她居然能懷著五個月的身孕，獨自把丈夫送走，也不曾和任何人商量。她的母親和娘家人都在天津，祇有她和志雄住在北平，所以她是一個人送志雄到車站去的。

志雄穿著短裝，戴著鴨舌帽。她穿著肥大的藍布大褂罩在棉袍上。演話劇時跟秦媽借來的一件肥粗藍布褂，忘記還給她，現在竟派上用場。藍布大褂雖然是北平人的不分等級的衣裳，但是在剪裁的樣式上，總還是有些不同的，要不然她爲什麼要跟秦媽借呢！秦媽的那件，是肥袖口、矮領、下襬肥大，可是沒有開叉。現在她穿上，就成了個四不像，不像學生、不像太太、不像鄉下人、不像……志雄看來也是有不明身分的感覺。

他們心裡很緊張，表面上可裝著沒事，安詳地踱進了東車站。志雄手上什麼行李都沒有，就彷彿他是個買賣人，上天津提貨去了。他們倆都沒有多說話，沒有珍重道別，沒等車開，她就匆匆離開車站了。

志雄囑咐她說，等他一離開北平，她就立刻回天津娘家去，免得剩她一個人，他走了都不放心。可是時間撥弄命運，眞是不可預料的事。她當初爲什麼不聽志雄的話呢？她太大意了嗎？實在她不是大意，而是有些事還沒有料理好，所以她才又多留了兩天。

兩天，祇是多留了兩天，命運安排出另一個場面了。

她從火車站出來，心情還不是輕鬆的，因爲她不知道在火車開出以前，志雄是不是有被發現的可能。她回到空洞的小小愛窩裡來——志雄給起的名——，摸摸索索的又做了些事，心情雖然興奮，身體可很疲倦，要她當夜趕回天津，實在也沒有這個必要，她要好好休息兩天，把幾個小包袱去寄存的寄存，送人的送人。而且，也不要讓鄰居看到這夫婦倆突然失蹤的謎，所以她要盡量裝著沒事人似的，還在閒蕩呢！

但是第三天的晚上，日本憲兵就又來搜查了，她不記得是不是頭兩天來的那個，總之，搜查不到志雄後，幾只高統大皮靴對她一陣踢打，她抱著肚子在地上打滾，下意識地要保護她自己的肚子。那是多麼驚險的一幕！這一幕沒讓志雄趕上，卻讓她趕上了。

沒有人告訴日本憲兵，她是一個孕婦，即使告訴了他們，她就可以避免這一場傷害嗎？不要怪任何人，即使讓她今天再遇見這些當年的日本憲兵，也不會懷著恨意的。經過這許多事情以後，什麼都不值得她去恨了。

她沒有被踢昏過去，身上、腿上的青傷也不多，彷彿肚子上挨了一腳，可是當時感覺好好的，她也就不在意了。鄰居們在日本憲兵走了以後，跑過來了，好心的老太太把她扶到床上去，她還笑笑說：「沒關係，姥姥，沒關係，您瞧，我也沒受什麼傷。」她這麼說，眼睛裡可有了淚，但她必須說明，那淚不是疼痛的、受了凌辱的淚，或者恐懼的淚。那祇是挨踢時，過度的緊張，不知不覺流下來的。祇要志雄走成了，這些事，她都承受得起。

鄰居姥姥給她倒了一杯白糖水，要她喝下去壓壓驚，並且勸她在床上躺下來，恐怕動了胎氣。可是她不聽，她一再地說，沒受什麼傷，就又滿屋地收拾殘局，被翻亂的書籍，扔了一地的紙片，敞開的壁櫥門。但是等到夜半，她感覺到渾身在痠痛，痛在肩胛、痛在後背、痛在腰際，終於痛得她不可忍耐時，流產了。

當她被送進醫院時，第一件事就是囑咐她的朋友，不要寫信到天津告訴她的母親，母親這麼老了，哥哥也在不久以前離開天津到南方去，她怎能使母親再惦記她呢！

流產下來的未長成的胎兒，是一個男孩子。如果她當時送走了志雄，立刻就回天津娘家，可能她今天是一個大學畢業生的母親了！劉家的小倉多大？才十歲不是？十歲就那麼大個子了，要是二十好幾的大小子得多高？唉！她簡直想不出自己如果做了一個大學畢業生的母親，是個什麼樣兒？該接受預備軍官訓練了，穿著整齊的軍裝，雄赳赳的，見了人就淘氣的敬個軍禮。也許已經受完了軍訓，準備要出國了，做爹媽的在忙著張羅那要命的保證金，那是多麼不同的情形呢！但是，當年就是因爲她略一散懶，便失去了兒子，失去了——唉！失去了那麼一大段年月。祇是因爲她遲兩天回天津去，日本兵就來搜查了，找不到志雄，拿她出氣，她受了足踢拳打的委屈。還好，不太厲害，祇是把她今生唯一的兒子踢掉了。

當她由醫院出來，就獨自回天津娘家了。她虛弱不堪，除了療養以外，什麼也顧不得了。

向老母親說了自己流產的事，一半眞實，一半隱瞞。所以她的老母親祇知道女婿到「咱們那邊兒」去了，女兒一個人不小心，扭了身子，所以流產了。她一向孱弱，母親相信一扭腰就會流產的，卻不知道她的小小的、不到二十歲的女兒，是被日本人踢打得流產的。

蠟燭不知是哪家的出品，簡直不行，受到熱，就彎彎的垂下來，而且熔化得這麼快。元芳把蠟燭捏直，心中又不由得想，自己的一生就像這根燭似的，禁不住別人的一點點感情，就把自己犧牲了。

她記得母親的哭聲，那是在她天津養傷後的一年。她總算勉強好了，面孔胖了起來，於是她就想到和志雄的約言，已經是超過了他們原來所訂的，她該動身了。母親原是知道她身體復元後，就要去找志雄的。但是等到這個時日眞的到來，向母親提出時，母親卻哭了，她說她捨不得元芳帶著病後的孱弱，遠遠跋涉千里尋夫。於是拖下來了。拖吧，拖吧，一年年的，爲了母親，拖下來了。

眼看著自己的一些同學、朋友，都陸續到抗戰的後方去了，有從商邱走的，甚至於有人從安南走進去，各種辦法都可以走，都能達到目的。祇有她，就在天津一個小學裡教教書，打發日子。

三

到台灣來，可是大姊逼的。不，她不能這麼說，大姊是為她好，愛護她。大姊眞厲害，她連大姊的一半都比不上。她也很勇敢，她的勇敢是犧牲，不是占有。怎麼她會是這樣的性格呢？是什麼使得她這樣的呢？

抗戰勝利以後，所有的親友都回家鄉了，大哥回來了，姊夫回來了，祇有志雄，遲遲不歸。

長時間的別離，似乎習慣了，所以，她並沒有急著催促他回來。他也有好多理由：機關的事情料理不完、又小病了一場、交通工具還沒有合適的、老長官約他一道走……一直到有一天，大姊證實了志雄在四川又成了一個家，事情才變得不簡單了。其實，這在抗戰那幾年，算不得是什麼稀罕事，可是輪到誰是那被棄的女人時，誰也受不了。

志雄終於回來了，歉疚地站在她的面前。他還是那樣英俊，顯得更成熟了，但是對於她卻陌生起來。她本想保持著一份可怕的冷靜，來對她的愛和恨報復，但是當大姊不顧一切的，幾乎是破口大罵時，才把她原想矜持的冷靜打破了。大姊指著志雄的鼻尖，把他好一頓罵，他除了靜聆以外，還能怎麼樣呢？

大姊的尖銳的罵聲，最初是連她都覺得過意不去了，並不是因爲罵的是她的丈夫，他本來是對不起她的，她衹是覺得，他剛才回來，又帶著歉疚，而且面對著這麼一個龐大的娘家勢力。可是當大姊忍不住在母親的面前，揭發了一件八年的祕密時，她才也忍不住的號啕大哭了。大姊最後流著眼淚說：

「志雄，你知道元芳爲你受的什麼罪嗎？」

「大姊，我知道在淪陷區的人過的是什麼日子，艱苦的煎熬。」志雄歉疚地回答說。

「艱苦的煎熬？那算得了什麼？要講起衣食住來，我倒可以說，我們都沒受什麼苦，物質的供應，可能比抗戰的後方還好些。可是，你要知道，元芳在你離開北平的第三天，就受了一次大傷害，這可不是人人都受過的，可是元芳受了，就是爲了你……」

元芳想攔住大姊不要說，可是大姊的話像洪水般的沖了下來：

「是日本憲兵把她的孩子踢掉的，你以爲她眞是自己扭了腰流產的嗎？日本憲兵踢她打她，爲的是找不到你，你知道嗎？那時衹有她一個人在北平，爲了你！都是爲了你！她不但沒跟你說，也不敢告訴母親，一個人在醫院裡養傷，傷養好了，才不哼一聲地回天津來。志雄，那年元芳才多大？才十八歲啊！你對得起她嗎？你死一百次都對不起她！」

大姊哭了，母親哭了，志雄也哭了。元芳在八年前這件事發生的當時，都沒有哭過一聲，現在她也哭了。她哭倒在母親的懷裡。母親顫抖乾枯的兩手，不住地摸撫著她的面頰，她的肩胛，她的後背。祇有這種愛永無變更，其餘的愛，都是靠不住的。

他回來了祇有十天，忍受著大姊的嚴厲的指責，毫無怨言。他曾不止一次向她哀求說：

「那女人，總算是生了三個孩子了。容我慢慢來，我總會想個妥當的辦法就是了。」

彎了，彎了，這根蠟燭又彎了。大姊也罵她，罵她的話很對：

「元芳，你就是那麼窩囊，那麼直不起身子來！」

這是當她把志雄放回四川去解決事情時，被大姊罵過的話。大姊怪她不跟志雄到四川去，因爲大姊恐怕志雄會一去不回，可是她就禁不住志雄的哀求和諾言，她就是直不起身子來，她是變得太儒弱、太不夠積極了。

大姊的預料一點也不錯，志雄沒有回來。他來信說，應朋友之約到台灣看看，所以他一個人匆匆赴台，一時就不能回天津了。解決婚姻的事，也沒有再提起，就彷彿他眞是一個大忙人，事業重於一切似的！想到這兒，她有點兒恨，重重地把那根彎腰的蠟燭直起來，唉！用過了力，它竟又倒向另一邊。

大姊鼓勵她到台灣去。實在說，大姊的主意並不錯，她說：

「小妹，拿出點勇氣來！追到台灣去，兩個太太也沒關係，總有個先來後到，你的名分大！」

她自己並沒有勇氣，可以說，完全是懷了大姊的勇氣坐上美信輪的。如今和大姊關山遠隔，音信全無。如果大姊知道她在台灣這十幾年的經過，最近的變化，大姊會怎麼說？

想起大姊，她滿心懷念故鄉天津。早晨的煎餅餜子。冬天的辣蘿蔔。日租界，英租界，回力球場，不同的情調。母校耀華中學的師友們。大姊的尖銳的眼光，母親最後的慈容。……可是她一個人來到台灣已經十幾年了，這一切也祇有留在記憶中了。

她祇寫過兩封信給大姊，報告在台灣的生活。她說他來了，那個女人還沒有來，請母親和大姊放心。她說志雄帶她玩了幾處地方，風景不錯，第一次洗溫泉澡。她說這裡樣樣都好，就是言語不通。跟著，音信不通了。天津家裡的人，如果都還活著，她們一定以爲她和志雄一直住在一起，或者會猜想說她不定生了幾個孩子呢！唉！就讓她們那麼想也好，不然母親會愁死。

其實不到一個月，四川的那個女人就來了。她眞懶得再費心思去想那個女人和幾個猴崽子的事！眞奇怪，無論怎麼算，她都是先來的，可是怎麼就老有後到之感？就是因爲那個女人多生了幾個孩子的緣故嗎？那四川女人眞能生，下貓似的，一年一窩！她帶三個來，又生五個，八個孩子！嘖嘖！志雄被壓得喘不過氣來，顧了那頭，就顧不了這頭。其實他連哪頭也顧不過來了，爲什麼還要不斷地生？是愛情嗎？嗤！

四

她重新執起了教鞭。在台灣教小學，對於她不是一件困難的事，注音符號是她的拿手，發音又正確得一絲也不差，所以朋友們常跟她開玩笑說：「元芳，你可是

ㄅㄆㄇㄈ，得吃得喝了！」

她一直是和那女人分住的。其實那女人何必擔心，她不曾用志雄一分一毫，她的生活簡單，租兩間小屋，就有很大的空間，同事們也都喜歡來她家裡玩玩。志雄的那女人鳳西，管他管得很凶，她可以在撫養八個孩子之餘，還時時追到她的住處來，粗魯的態度，生多了孩子的憔悴，他眞那麼愛她嗎？

鳳西來了，她用淡漠的眼光看她。她來了，沒有別的事，就是吵著要錢，或是小孩子生病了。志雄原來是一邊住一個禮拜的，但是在這一個禮拜中，鳳西總是要把他拖回去幾次。後來她知道鳳西的處境也很困難。一個公務員，要負擔八個小孩子的十口之家的日子，會把人過成什麼樣子。她看志雄可憐，鳳西也可憐。憐憫之心，油然而起——憐憫自己的情敵，這話眞不知道該怎麼講。她常在鳳西來過之後，半挖苦他說：

「回去吧，那邊兒熱鬧。」或者說：

「快走吧，把你留在這兒，小心讓狼吃了！」

無論她說什麼，他都默默不做聲。她也知道他並不是最負情負義的男人，可是到時候她就不由得要甩兩句閒話，他沉默，是無可奈何。而且她當然也知道，他何嘗不痛苦呢！

他聽夠了她的閒話，有時她也不忍心了，會拿出一塊花布，幾個罐頭什麼的，對他說：

「拿去給孩子們吧！」

她知道，他回到那邊去，少不得也還要聽鳳西的一頓數叨。

幾年來，志雄變得消沉多了，當年的活潑，一點也沒有了。她爲了憐憫他，也就不跟他計較，隨他自由來去，閒話也沒有了。夫妻間的情義，日漸淡薄。當五年前她租了劉家的一間四蓆半小屋住下以後，志雄就很少來了。十天來個三、四趟，來了也難得住下。劉太太跟他開玩笑說：

「你們這是三七分帳呀！」

「他就是十天裡來個兩三趟，我也不留他住下。」

的確，夫妻間的情義，到了這個地步，可以說完全沒有了，祇是個空名而已。

元芳到劉家來，小珊生下來剛五、六個月，白胖的娃娃，一下子就使她生了愛心。反正一個人閒著也沒事，小珊就有一半的時間是在她身邊長大的，不用說，認她做了乾媽。

想想小珊，眞使她想念，明天一定要去一趟劉家了。早兩天聽說小珊不舒服，不知道好了沒有？她的媽媽是不太注意孩子們的飲食和冷熱的。自己住了五年的那間小屋，不知道又租出去了沒有？劉太太說孩子大了，屋子不夠住的，不預備出租了。可是她知道，奉公守法的公務員，一下子少收入幾百租金，是不簡單的哪！唉！五年！一個人躲在那間小屋裡，煮一頓，吃三頓，那叫什麼日子呀？就像今天似的，剩菜總是爐上爐下的端來端去。

去年她發高燒，發著囈語，劉太太急得把志雄找了來。他來了，就像探望一個遠房的妹子，沒有愛情，沒有關心，那麼，她期待的又是什麼呢？

她病後軟弱，全靠劉太太的幫忙和小珊的安慰。身世淒涼的感覺，忽然因爲這一次的病而加濃了。

有一天，當她一個人又把一碟剩菜從廚房端進飯桌上時，忽然興起了一個從未有過的念頭：跟志雄離婚。

那天她的頭原有點發昏，懶得去廚房弄吃的，可是她總得打發她的胃呀！她真希望這時有誰在她的身旁，自動地爲她服務，可是劉太太在忙孩子的午飯，她也不能老麻煩人家啊！祇好自己從床上起來，把床頭上的虎標萬金油打開，搽了一些在頭上，才到廚房去的。頭上涼颼颼的，倒彷彿清醒了。當那盤剩菜扔在飯桌上，她頓一下把自己甩到椅子上時，忽然想：爲什麼我要把自己的名字上加一個別人的姓，而過著這樣的日子呢？

這個念頭是來得這麼突然，決定得又是這麼快速！她忽然想到那尖銳性格的大姊。要是大姊知道她這次這麼勇於下決心，會對這一向懦弱的妹妹，有什麼樣的感覺？因為連她自己想起來，都意料不到呢！她沒有跟任何人商量，就在下一次志雄來的時候，攤開了牌：

「志雄，我十八歲跟你結婚，我們總算是二十多年的夫妻了！如果我在今天這樣的處境之下，跟你提出離婚的要求，你總會覺得這對你、對我、對她，都很合適吧？」

這突如其來的提議，怎不使志雄驚奇呢？他當時沒有立刻回答。他對她的談話，原已經習慣以沉默來應付了。可是這回不同於往回，元芳說完了以後，是在等著他回答的，她眼睛注視著他，沒有放鬆的意思，不是在開玩笑啊。

志雄不能不開口了，是經過了痛苦的思慮，他才結結巴巴的說：

「元芳！你這樣會使我良心受到譴責的！我一直在想，怎樣賺到更多的錢，使雙方的生活過得更好些。」

誰知志雄說完這些話，倒哭了。是流的二十五年來的良心的眼淚嗎？

哼！元芳想到這兒，不由得冷笑了一聲。燭光更亮了，是怎麼回事？原來是燭芯快燒完了，所以火苗伸得老長老長的。哼！她那天也像這根快燒完的燭芯吧，居然對志雄那男子漢的軟弱的哭泣，完全不放在眼下，她也把脖子伸得老長老長的，冷笑著說：

「這不是物質生活的問題，而是精神的。唯有離婚才可以減輕——甚至可以說，解除雙方這種精神的負載。」

「拖」這個字眼兒，現在想起來，才知道是這樣的可怕，她在抗戰時候，拖延了八年，勝利後，他們又共同拖延了十六年，加起來，一個世紀的四分之一過去了。她知道志雄還想拖的，他絕對不願意離婚，他不是那樣沒有良心的男人。但是這回卻是她下了決心。

離婚簽字的那天，她沒有驚動許多人，在台灣，她有什麼親人呢？如果連志雄都算不得是親人，她就連半個親人也沒有了。

劉太太是她的見證人，他們一起到法院去公證離婚。劉太太一上車就哭了，淅瀝嘩啦，哭得像個淚人兒似的。到了公證處，劉太太還不停的哭，她卻在好笑的想：劉太太，你是怎麼回事兒？你不是還勸過我離婚的嗎？唉！軟弱的女人，嘴硬心軟的女人啊！

更可笑的是公證處的法官，大概看見她反而給劉太太擦眼淚吧，鬧不清誰是這離婚劇中的女主角，竟問劉太太是不是一切都決定了？她這時不得不挺身而出，表示願意立刻簽字離婚的是她。

她的心情，在當時竟能達到靜如止水的程度，是經過二十幾年的磨練嗎？

五

小珊，她要感謝這個小女孩，是小珊促成她的第二次婚姻的成功。成功？她敢說這是一次成功的婚姻嗎？

遇見俊傑，是一件很普通的事。他有五十歲了，北方農家讀書子弟出身，離鄉背井也有二十多年了。抗戰時足跡走遍西南，有的是年輕人的壯志。大陸淪陷又隨政府撤退來台灣。不知道是年紀大了，還是一個人離家太久了，單身宿舍的伙食，吃得他倒了胃口，有時就不免到老同事劉先生家來坐坐，喝喝酒，講講北方的老日子。逗著小倉、小珊玩笑，也不免會搖頭唏噓，原來他在北方的鄉下，還有著三十年不見的老婆兒女呢！所以他也認了小珊做他的乾女兒。

他們的認識，便是如此的自然，她沒有和志雄離婚前，他們就認識了，但是絕無情愫，也沒想到有一天會跟他結婚。

俊傑是一個樸實坦爽的北方人，他知道元芳的身世，祇有同情她，尊敬她。元芳在離婚以後，並沒有想到再婚的事，祇是她恢復自由身以後，也有些朋友向她開玩笑，說要給她介紹男朋友。俊傑也有這樣的誠意，他認爲他的老朋友一位立法委員要續弦，是最合適元芳不過的，但是在俊傑陪著他們一起玩過兩次以後，元芳說什麼也不肯再去將就那第三次了。

元芳覺得她和那位立法委員，有說不出的距離。她聽不慣他的江浙口音；她儉省慣了，並不以爲他的幾幢租給外國人的高房租，對她有什麼重要；她一生無子女，卻要她過去管理一個瞪著十隻眼睛的五個孩子的家庭。這種種在她都是像另一個枷套在她的身上，不自在得很。她想，就沒有人能了解她的心情嗎？連俊傑，也在勸解開導她，他像長兄般的，兩手握住她瘦弱的肩胛，溫和地說：

「元芳，你受了這麼多年的委屈，應該有個歸宿了。我的這位老朋友，脾氣好、資歷好、家境好……」

「別說了！別說了！」不知道是不是俊傑有力的手掌握住了她的肩頭，使她觸到男性的力量，還是那兄長般的語氣，有一種保護的力量。她竟像一個任性的女孩子發了脾氣，接著是哭倒在他的懷抱裡。

咦？亮了！好了，燈來了，風停了，鄰居的狗也在叫了。把蠟燭吹熄吧！不，不要，反正已經剩了一小截，隨它亮著，隨它滅。

她站起來，伸了個懶腰，愣愣的，不知道現在該去做什麼。思潮在那個東車站、日本憲兵、四川女人、立法委員裡浮沉，還沒回到颱風過後的現實來。她一眼看見一封信擺在碗櫥裡，是曼麗從花蓮給她來的信，她在晚飯前剛收到，幸虧是在俊傑走了以後，否則的話，讓俊傑看見，多不好意思呀！曼麗是她在台灣唯一耀華同班的同學。她深深地責備元芳，爲什麼離婚？因爲丈夫另有一個女人，所以才離婚，但爲什麼又跟一個大陸上有了太太的男人結婚呢？爲什麼甘受這種欺蒙呢？曼麗問了一連串的「爲什麼」，非要她寫信答覆不可。

總得答覆曼麗的，總得使曼麗懂得她今天的心情。她是要對曼麗這樣說：

曼麗，我一生最好的年齡，犧牲在一個無望的等待上，二十五載芳華虛度，我是多麼的委屈！現在我終於拾起完美的家庭生活了。曼麗，我要你慶賀我，卻不要你責備我。我是被欺蒙了嗎？不，並不像你信中所說的。俊傑在婚前很坦白對我說：「家有老妻，生死未卜。」他已經五十歲了，還住在單身宿舍裡，吃著伙食團的又冷又硬的包飯。我呢？二十幾年來，始終沒有個定局。

我和俊傑的結合，是基於一個同樣的感覺：我們如何渴望過著「家」的生活。

兩次婚姻的際遇，會被人怎樣的批評，我也顧不得了。《聖經》上說得對，「日光之下，並無新事。」在婚姻的戲劇中，我兩次扮演了同齣戲中的不同角色而已。

我不怨誰，我珍惜的是每個早晨、每個黃昏，這充滿了家的溫馨的生活。煮魚湯別忘記放兩粒他愛吃的花椒，六點半聽見門鈴響，第一個菜剛好下鍋，無論風雨寒暖，等待，總不會落空的。

別擔心我這齣戲還沒有演完，以後可能再會遭遇到什麼不幸，也別說我不夠理智。那一年在北平東車站的送別我才十八歲，今年我四十多了！無論如何，我是等待過二十多年了。……

燭芯燒完了，閃著閃著，掙扎的閃著最後的火光。但在電燈的光明下，它也算不得什麼了。

某些心情

眞羨慕你的忙，貝麗！其實我前天從你家門口經過的，並且看見你的大女兒騎了車放學回家，正天眞的按著車鈴代替叫門，鈴聲鈴鈴的急切的響著，想見你扔下炒菜鏟子，用圍裙擦抹頭上的汗珠，趕著跑出來給女兒開門，然後又匆忙地跑回廚房，拿起鏟子，趕快攪動鍋裡快焦了的菜。這時我怎好再進去打擾你？所以我略一猶豫，就讓車子過去了。誰想到你昨天就來信說要我到你家聊聊呢！

我的工作是呆板的，人家問我：「你管什麼呀？」我說祇管畫一些圖。問我的人一定很爲我高興，「啊！那不正是你所喜歡的嗎？怎麼找到這麼一份對你合適的工作哪！」我會以微笑來答覆朋友對我的關心。其實，我畫的是什麼圖啊？祇是統計圖而已！但我仍要感謝替我找到這份工作的朋友，當他們說要找一位會畫圖的職員時，我的朋友一下子就想到陷於困境的我，正是個會畫圖的人。我呢？我是祇急著想找一份事，就滿口答應下來了！我大言不慚的說，我當然會畫啦！我學的是這一門兒嘛！其實，我學的各種圖中，卻沒有統計圖呀！我眞大膽，正像你們北平人說的：人急懸樑，狗急跳牆！我就像狗一樣的急，從圖畫跳到統計上來了！我跑到圖書館看了一天統計方面的書籍，就大搖大擺地上工了。

鄉下的空氣眞好，藍天很廣大，到了黃昏，人就像浸在濃色的葡萄酒裡，照圖畫的眼光看來，美極了。這時我下班了，夾著圖畫板，踏著清潔的石子路回我的住處去。我逢人點頭微笑，彷彿是一個忙碌工作了一天的人，現在要回家享受愉快的家庭生活了！其實，我摘取一片路旁小樹上的葉子，放在嘴裡嚼，非常寂寞。

這時我就會想，去看貝麗吧，聽她談點兒什麼也是好的呀！

我回到住處，不想做什麼，也沒有什麼可做的。洗我的手絹，吸我的香菸，想我的心事。我但願忙碌，並不願想心事。周圍沒有可談的人，我像站在一片荒島上。這難道是我自找的？我有時也眞想有點腰痠骨痛的毛病來折磨折磨自己。這個想法太該打了！

帶上我的親吻給你美麗的女兒吧，她是一個大姑娘了。我第一次見你的時候，你就像你的女兒這樣大吧？但是我第二次見你，卻是在遠隔了二十年後的現在，說起來可眞是老朋友了，雖然中間有二十年我們彼此都沒遇見也不知道對方的情形。我很珍惜我和你再見的這段友情，因爲你曾看見了我的最初的「某些情形」，又看見了我現在的「某些情形」。

當趙先生跟我說，有一位我的「老朋友」在打聽我時，我記不起你是誰了，說實話，就是趙先生把我帶到你家時，我見到你們夫婦，似曾相識，卻沒有深刻的印象了。但在北平和你們幾次的交遊，卻深切記得的，都是藝術、戲劇和新聞界的朋友。大家是又親切、又熱鬧，你們是夾在其中的兩員，這個記憶是整體的，所以不能單獨記起你們倆了。你們倆那時還沒有結婚，也在熱戀中吧！啊！像我們倆一樣的，是在熱戀中啊！

接到你的信，我寫到這兒停住了。十天下來，我想把信撕掉，人到你那裡去聊聊，還不是一樣麼？可是說話和寫信，常常是不同的，尤其對於笨嘴拙腮的我來說。上面寫寫停住了，因爲它勾起了我的「某些心情」。

當趙先生給我們重新引見了以後，天眞的你，馬上就提起當年事來，雖然多年來我不願意再見到老朋友，但是這次我既然出現了，而且出現在老朋友的面前，那麼我就不在乎你們喜歡談起當年事了。所以，我們初次重見，確實像老朋友一樣，我很講了一些經過給你們聽。祇是，我所講的，是「情形」，而不是「心情」，我的心情，我們留待著慢慢的講，不要一次把話都說光了，我們的友誼就又斷啦！一笑。

最近恐怕不能到你處去了，統計圖的工作，忽然繁重起來，據說是「上頭」要了解我們的詳細情形，所以加緊加班，這回可給了我忙，不必再羨慕你了。

喜歡我昨天給你的一張畫嗎？人是要忙才起勁兒的，我越是統計圖畫得多，便越報復的想畫我自己的畫。兒童心理學上說，兒童到了某個階段，是具有強烈反抗意識的，所以孩子們在幾歲時便常常吐出「不！」這個字眼兒來。我卻以爲，反抗意識是人類的天性，與生俱來的，哪分什麼年齡！你說是不是？貝麗？

我就是一個反抗者，雖然許多次失敗了，但我仍然在反抗中，我連畫統計圖都反抗。我不能以「不畫」來反抗，卻以「畫別的」來反抗，這便是我最近作畫的情形，也是我送你一張畫的來由。

我結婚的時候，他有意要我擱下畫筆，不是不要我畫，而是要我離開藝術界的朋友。我也很想這樣，扔掉「過去」吧！跟完全不相干的他合作吧！他和我的籍貫，天南海北；他和我的志趣，毫不相投。貝麗，這有什麼了不起呢？我們的母親的婚姻，不都是這樣陌生的結合嗎？

這個人是母親替我找來的，據說他可以原諒我的一段荒唐的過去，因爲我是被欺誘的，是值得原諒的，但是有一個條件，我要擱下畫筆，以及藝術方面的，不管什麼。藝術所招致來的浪漫生活害了我，他們給我這樣的警惕。

我當時完全麻木了，因爲確實那個人毀了我一生，然後他走了，給了我這麼樣的難堪。我恨他，所以我聽從了母親，嫁給另外的一個人。這回是眞正的「嫁」了，母親拿我當做一塊純白的玉，給了我豐富的嫁妝，一禮堂的客人（除了沒有藝術家們！），粉妝玉琢的把我送入了洞房。一切從頭兒做起，誰知道我身心受了多麼大的創傷！

想來也很滑稽，貝麗，一個女人怎麼能第一次是隨便和一個男人在一起，第二次反倒正正經經地結起婚來了？

我的確沒有再「藝術」了，那些朋友都漸漸地淡忘了我。但是我在家裡也還是被容許「藝術」一下子的，比如我有一本速寫本，上面畫滿了我的寂寞，我想起了什麼，看見了什麼，就畫上去。他根本不看的，也從來不問，視若無睹。但是有一天我畫了一只小提琴，我們卻有幾個月沒說話。你的先生是不是這樣的人？我想他不是的，他見了我總不忘記跟我開個玩笑，好像我和你們二十年來一直是沒有斷過往來的老朋友似的，他多天眞有趣，你的先生。可是他卻不啊！我希望他把那張提琴的畫撕了，跟我吵一頓，然後我負氣出走，他把我勸回來什麼的，但是沒有，有什麼比不說話更可怕的？貝麗。

可是這樣的生活，二十年下來了。

貝麗，不用說，那只小提琴的圖畫，你是明白的。你也曾是小提琴的聽眾，不是嗎？

那時我心中充滿了不顧一切的意志，跟著他的琴聲到了你們那個北平。一下火車，人們就把我們擁進了一個什麼樓，吃著又肥又油又亮的烤鴨子，我是不是那天認識你的？貝麗？我不記得了，男男女女一屋子，聽說有記者，沒有你們嗎？你不是說，你曾是一個小小的女記者嗎？

人們沒有發現我，因爲他是那天的英雄，他們正在給他安排演奏的日期。我喜歡看英雄，我傾倒於他，失身於他，在你們那個北平。然後回到南方，我就被扔開了。太快了，他的琴聲我還沒聽清楚呢！你聽清楚了沒有？貝麗？他奏的難道不是協奏曲而是暴風雨前奏曲嗎？

後來人們注意起我來了，說小提琴家身邊有個女孩子，有一些傳言，或眞或假。後來說開了，也沒有什麼可避諱的，北平離南方那麼遠，離我的家那麼遠。我傾心於他，恐怕已經流露在我的舉止和表情上了吧？小小女記者，你當時的觀感如何？

貝麗，想當年，我們在北平遊山玩水的那一陣，當然，我和你談不上互相了解，我們認識得很淺。但是現在我一看到你，就等於翻開了自己的歷史。

上西山碧雲寺、臥佛寺的那次有沒有你？有的，你說過。我們合拍了一張照片，所有的人排坐在碧雲寺的石牌坊下，衹有一個橫躺在咱們大家的前面，學著臥佛的姿勢，那就是他，他很高，非常的英俊。我已經委身於英雄了，願意做他的琴，被他提攜著。

貝麗，希望你不要勾起我的回憶吧！我現在是一塊又濕又爛的抹布，隨便甩在那兒。對女人來說，是悲慘的，但也極普通。

寫了這些，彷彿太遠了，沒有主題，談不攏，你也許以為我是感到悲哀而寫的，別那麼以為，我因為高興才這樣寫點跟你聊聊的。你的時間比我寶貴，但是我猜想你還是喜歡有個圈外的朋友跟你談談吧！

我認識你的那年，也是我剛踏進人群中「混」的時候，時期不長，便結束了社會生活，放棄一切，嫁人回到家庭來。現在，我又出來「混」了，可是好疲倦啊！沒有以前那種勇氣了，你看也看得出，先這樣混混再說吧！我既然已經出來了。

我回了南部一趟。大老遠的從屏東給你帶了一個大西瓜，從火車上提下來差點兒沒砸爛，送到府上你卻沒在家。聽說你給孩子們買花布去了。你的女兒很高興，她說媽要給我們做篷裙，每件要四碼布。我的天，她們高大得這樣費材料了嗎？你的興致怎麼這麼高？你的女孩子圍著我，問我牆上掛的畫是畫的什麼人？抗戰時期西南行腳，我畫了一些苗女，這次我回家，順便到屏東不遠的三地門，又畫了一些當地婦女。我很喜歡畫鄉土色彩的服裝人物，但是我不會做衣服，這次回家，我買幾件襯衫給孩子，如果我會做，孩子一定更高興。

我是爲了孩子有病回去的，我陪伴他，他說：「媽媽，你在身邊，我生活得比較有意思。」你聽聽，講這種話了，你還忍心走開嗎？可是我仍然走開了，又回到北部來。我要擺脫那種幾乎窒息了我二十年的空氣。這反抗的心情，是這樣的強烈，有什麼辦法呢！孩子是可以放心的，父親待他非常好。我們的女兒，很小很小在抗戰的後方就夭折了，現在我們唯一的祇是這個兒子啊！他很愛說話，不像他的爸爸。現在的孩子，眞是了不得（你不以爲我是在誇「兒子自己的好」吧），我決心再離開家時，曾徵求兒子的意見，他彷彿毫不在乎，揮揮手說：

「你要去，就去算了，我同時面對著你們倆時，就想開窗戶。」

「爲什麼呢？」

「空氣特別的悶人！」

喲喲！他居然說出這樣的話來了。所以我就放心的北來了。

但是貝麗，我最近可能到花蓮去看看，太魯閣你不是很喜歡嗎？我也要去走一趟。

貝麗，你最近聽到了什麼沒有？關於我的，有沒有人講到我？有一天，我聽到一件事情，便喝醉了。我不知道爲什麼這樣激動，按住我的心口，囑咐自己安靜下來，但是不可能。我的年齡，我的多年沉靜的心境，是不應該這麼激動的，可是我忍受不了，最後還是決定到花蓮去。

我這時的心情衹有我自己知道，一點也不能透露給別人，苦極了，這才叫折磨，好像一塊綢子，從那結實的邊緣，怎麼也撕不開，讓我剪開一個小裂口吧，讓我用力地，從那剪口，一下子就撕開了。要用力才行啊！要有勇氣才行啊！

貝麗！我是在屏東的家裡給你寫這封信的。我又回來了，離開了花蓮，離開了台北。

孩子太想念我了，他說：「我說讓你走，那是安慰你，我知道你悶氣，要你去台北散散心。但是你走了，我的生活少了許多趣味。」

你聽，他說話竟是老腔老調的！他又說：「媽媽！你的枕頭好香啊！」

其實，我是懶散的人，不太整理衣物，我的枕頭怎麼會香呢？不過是孩子想親近我罷了。

因此，我就回來了。

確是「因此」，我才回來的嗎？啊！貝麗。

我沒有去向你辭別，怕讓你看見我憔悴的形容。從花蓮回來，我就病倒了，太疲倦了，太疲倦了，這身心。我想去看你，拖不動自己的身體和心情，卻把自己拖回了屏東的家。

貝麗，我負氣自家中出走時，是決心要在外面闖天下的，當然「天下」談不到，我祇想給自己找個安身之地，我祇想擺脫那沉悶的人二十年來所給予我的一切。貝麗，我不是講他不好，他對人、對事，都沒有什麼不好，祇是我跟他合不來。我並不恨他。聽說沒有恨，便沒有愛，是嗎？

可是這回我做了「回湯豆腐乾」——江浙人的說法。

貝麗，記得我臨去花蓮時給你的信嗎？我的心突然充滿了舊日的情感，跑到花蓮去。在那信上，我幾乎向你衝口說出來，可是又忍住了。

是我聽說他在花蓮。

在那樣一個境況下——煩悶欲死，無可奈何的境況下，聽說他在花蓮，立刻激起了我胸中的浪濤，它把我撞擊得東顚西歪，我一點也把不住自己的舵了。我爲什麼這樣呢？他是我所恨的人啊！但，貝麗，他也曾是我所愛的人啊！那種傾心的愛，在他以前和以後，都沒有過的。我不是感情的骷髏，我畢竟是曾經愛過的。我要去看他的心情，高昂極了，不可壓制。我喝了許多酒，想爛醉下來，克制自己，但是不可能。也許將近二十年來，我的感情抑制得太厲害了，它今番崩潰了，我心中的堤壩不足以防。

有近二十年，我沒有聽到他的信息了，並不是因爲我離開藝術界的關係，而是那時他也從藝術界消失了。報紙上看不見他演奏的報導，曾聽說過，他的女人，一個一個地換下去，他祇喜歡女人，不喜歡他的提琴了。對於他的情形，我知道到這個地步爲止。

蘇花公路上，看無邊的海洋，心胸忽然開闊了，北平遊山玩水的情意，不住地隨著眼前太平洋此岸的波濤，向我心海中灌注。英雄的形象清晰了，海上傳來協奏曲的柔和的韻律，一切都顯得美好了。忘記時間，忘記怨恨，彷彿我是在北平的那年春天，蒙著頭紗，騎小驢和你們爬香山的心情。聽說從香山那個雙清別墅再往裡往上爬，可以爬上了「鬼見愁」那塊山頭的話，不是一件容易的事。貝麗，我的記憶錯不錯？蘇花公路也是一條令人喜愛又驚悸的公路，有人形容蘇花公路的驚險說：「不可不去，不可再去。」其實沒那麼嚴重的，但是在清水斷崖那些狹路的轉彎，眞嚇得讓人閉起眼睛來，因爲司機在轉彎，你卻以爲他在朝海裡開！這激盪的心情，不正像小黃驢依上山小路在奔馳一樣嗎？爲了一個莫名的希望，驚險就不算驚險了。

花蓮有一所中學，辦得還不錯，聽說他在那裡教書。我天眞的想，他受夠了女人的折磨了，心情趨歸寧靜，找到花蓮那個遙遠又安靜的地方住下來，教教書淡泊自如。他的住處，傍著山腳，竹籬笆的圍牆，檜木的地板，充滿了鄉土色彩的竹器，有一個阿美族的小姑娘給他燒茶煮飯，在窗下聽她獨身的主人的琴聲。……

我的來臨，會使他驚異而慚悔的，我也許會向他苦笑，他可能說：「珊珊，你一點都不老！」是的，我一點都沒有老，我這時的情感，是留連於北平時的情感，怎麼會老呢！

啊，滿紙荒唐言。

我沒有因爲要去晤見他而感到緊張，我在沒有到達目的地以前，想得那麼多，如今還有什麼可想的呢？因此我的心情也變得極寧靜，像走一條熟悉的回家的路，踏進了中學的大門。

傳達室的工友回答我說：「有洪丹里這麼一位老師。」他說住在校園後門外右邊那間小房子裡。

我的步履緩慢了。我來時急於要看見他，但是現在快到了，我反倒願意有一個從容的時間，有一條比較長而曲的路，通到他的住處，好讓我多走一會兒，多盼一會兒。

貝麗，讓我再說下去，未免對我太殘忍，但是我知道你急於看下去，你替我捏一把汗，不知我將如何會見他。貝麗，有一兩分鐘的凝視，我就離開了，那一團火熾的希望，竟熄滅得這樣快！

的確有一道籬笆牆，小木板門敞開一扇，有一個老頭兒在搧一爐火，他直起身子來，背是佝僂的。我想上前打聽一下的時候，這才立刻發現，這佝僂的老頭兒，就是我要尋找的夢中的英雄！我馬上把伸進木板門的一隻腳倒退出來。有一個小髒孩子從屋裡出來，衝著他叫爸爸，他厭惡的用扇子把去拍打那孩子，我凝視了一下，不等他抬起頭來，我就返身走開了。

這不是會見，祇是奇異的瞥見，沒有驚喜，沒有情意，沒有憐憫。

但是我回到台北就病倒了，我祇感到身心從來沒有過的疲倦。一張薄木板床托住我的生命，我的失落的心情，很苦呢！

就在這時，小兒子的信來了。他說了前面我所寫的話，他又說，如果媽媽你不督促我讀書，我就參加惡性補習的行列吧，中學考試太難了。

貝麗，其實我沒有資格把自己擱在傷感的情緒裡的，看看我能不能讓自己從難堪的現實中站起來。

燭

奶奶又在喊頭暈了：

「我暈——，我暈哪！」

總是那樣的；拉著長長的第一聲，甩下了無力的第二聲，等待著有個人走到她的床面前去。

不習慣的人聽見，會對這奇異的聲音吃一驚。

「呀，快去看你奶奶怎麼的了？」

鑫鑫的同學來了，就常常這樣驚奇的喊。但是鑫鑫總是不在意的說：

「別那麼大驚小怪行不行，她喊了幾十年了。」

如果奶奶看沒人理她，再不斷喊的話，鑫鑫就會無可奈何的跑到床前去，對著面向裡的禿了頭的奶奶說：「奶奶，是不是要蠟燭？」

然後，鑫鑫眞的給拿了一只小銅蠟燭台來，上面插著一根燒得剩下一小截的蠟燭頭，奶奶顫顫悠悠的把它點起來，照亮她的床頭的一角。於是可以看出白夏布的蚊帳是有很長的時間沒洗換了，變成了黑炭的顏色。床頭裡面的部分濺滿了油漬，那是混和了飲食、身體和蠟燭所遺留或排泄出來的污痕。一條四季不換的被頭，也是同樣的情形，蓋在它下面的，是躺在這裡二十多年，不，三十多年的奶奶嘍！奶奶的皮膚很白，應該不止是因爲長年不見日光的關係，年輕時候的奶奶，一定是有著幾分姿色的。從全身的比例看來，奶奶的腿特別退步，細而硬的兩條小棍子，頂端是像兩隻剝了皮的冬筍似的小腳，纏過的。

昏暗的角落裡，躺著這樣的奶奶，小朋友會被那奇怪的喊聲和形狀弄得驚怕起來，但是會很同情她。成年人走進來看見的話，就不然了，他們一下就會明白，這是一個常年的病人，在不生不死的情況下，這家人已經習慣了她的病痛。或者可以說，久而久之，她的病痛似乎不是病痛，而是一種生活方式了。

奶奶頭暈，是有時候的，鑫鑫的媽媽美珍常對她的朋友們說：

「我們老太太頭暈是有時候的，兒子不回家，她頭也不暈；兒子一進門，立刻就發暈，靈著哪！」

說這些話的時候，少奶奶美珍既不是生氣，也不是埋怨，而是當做笑話講給朋友們聽的。有時候她也不忌諱，在奶奶的面前就敢這麼說。奶奶快七十歲了，耳朵卻不聾，她聽得見她的媳婦講這些話，但是她的臉朝著裡面，對著牆壁前面那層黑灰的蚊帳，並沒有反應，就彷彿沒聽見什麼一樣。儘管人們說笑她，她還是照樣的，聽見院子裡響起了皮鞋聲，是兒子季康回來了，她就暈起來了。

季康和其他的家人一樣，並不重視母親頭暈這回事，他聽見了「我暈哪」這樣的喊聲，就像聽見後院公雞叫，鑫鑫吹哨子，美珍罵鑫鑫，同樣的，祇當是他的家庭的一種聲音罷了。所以，他回來後，並不朝母親的房裡去，逕直回自己的房間，做他該做的事情，寬衣服、喝茶、吸菸、看報什麼的。

但這樣就表示季康不孝順母親嗎？不是的，季康是母親最小的兒子，受到母親親手撫育的時間最短，像鑫鑫這樣大，八、九歲吧，母親已經躺在床上了。但是毋寧說，還是季康最能了解母親的痛苦，他比他的哥哥伯康、仲康、叔康他們更能忍受母親的折磨——大家都認爲母親的這種行爲是折磨。連美珍都不了解這些，她總對人說：「憑良心，我們季康是不愧爲大家庭出身，無論如何，他是夠孝順的，雖然他也被母親喊得煩，不理她，可是，他總還是有時安慰安慰她，餵她喝兩口湯，床邊坐一會兒什麼的。」

「可是，」美珍又半埋怨地說，「現在接代了，又輪到我們鑫鑫活受了。要是季康不在家，老太太知道鑫鑫下課回來，在院子裡玩一會兒，她就呼天搶地的喊頭暈，喊鑫鑫。」

「喊你不喊？」聽了美珍的話，會有人向美珍提出這樣的問題。

「才不！」美珍會不懷好意地笑著回答：「她知道喊我也沒有用，不是我說，兒媳婦怎麼說也不是自己生的，她也不糊塗。最主要的，老太太並不是眞正的頭暈哪。」

「難道這也是喊著玩兒的？」

「雖然不是喊著玩的，但是也是向兒子、孫子撒賴，賴上啦！」

美珍講的並不過分，如果季康父子不在家，祇剩婆媳倆的時候，奶奶再也不頭暈，甚至於有這樣的笑話，美珍時常講給人家聽：

「有時候有人叫門了，其實來的人不是季康，可是老太太又喊頭暈啦，我一賭氣就說，老太太您別喊啦，是送醬油的，又不是季康！老太太果然就不吭聲了。」

聽的人都趣味濃厚地笑開了，老太太倒成了大家談笑的消遣品了。可是季康在家的時候，美珍怎樣也不敢講老太太這些笑話的，她知道季康最不喜歡人家把他的母親當笑話談，這一點她很尊重她的丈夫，但是沒有季康在面前，她就忍不住要說說。

季康父子不在家的時候，奶奶就點起小蠟燭頭兒來，照亮了屬於她的床頭的這個角落，捏著燒軟的蠟油，在搖曳的燭光中，沉思著在她生命中的那些年月，那些人物。首先出現在燭光搖曳中的就是秋姑娘，尖尖的下巴，黑亮的頭髮，耳垂上兩個小小的金耳環。她不大說話，緊抿著嘴唇。老實說，秋姑娘很乖巧的。但是她恨她，她恨秋姑娘，恨她那麼乖巧又不講話，竟偷偷的走進了她的丈夫的生活裡，並且占據了她的位子。

可不是，那時她已經生四個孩子了，就是在她生季康坐月子，她的丈夫搬到書房去睡的時候，秋姑娘這丫頭撞進來了。

本來從她生仲康起，每逢生產時，就從鄉間把秋姑娘接來幫忙照顧大的孩子。她是看墳地的女兒，世世代代吃的是老韓家的飯，想不到她倒先做了韓家的鬼，死在她的面前，睡進韓家的祖墳裡。也許她看準了韓家的墳地了，所以決心要進韓家的門。

她一直都是恨秋姑娘的麼？可是沒有人知道。人家都知道韓家的大奶奶待秋姑娘多麼好，她吃什麼，秋姑娘吃什麼，沒見過做大太太有這麼疼姨奶奶的，人家都這麼說。但是秋姑娘也太乖巧了，她總是做出居於大太太之下的卑下的樣子來，伺候她，爲她帶孩子，白天隨著其他的下人喊著「老爺」，晚上可在他的房裡吟吟的笑。啊！那笑聲！

她緊捏著燒軟的蠟燭，蠟油被擠得溢出來了，滴到她的手背上，燙了一下，她這樣被燒慣了，也不覺得疼。她把凝在手背上的小油餅，又放回燭芯裡，再去熔化，再捏緊，再回到那很早的年月去。她的丈夫啓福，又來到她的燭影裡。季康活像他老子，還比他老子高了半個頭。

她從什麼時候才這麼躺下的呢？當她生下季康以後，曾多留秋姑娘住些日子，當然，每次她都會留住秋姑娘的，孩子們也被她帶熟了，捨不得她走。而且，生了季康，又趕上仲康和叔康出疹子，秋姑娘事實上走不了，就這樣，她留下來了，直到死。

知道秋姑娘和啓福的事以後，她恨死了，但是秋姑娘跪在她的面前哭泣著，哀求著，那麼卑下的求她懲罰她，她願意永生的服侍老爺、太太和少爺們，因爲她捨不得每個幾乎都是她一手帶大的白胖孩子。如果太太要趕她回鄉下，她這輩子就沒有再來的希望，因爲她做了見不得人的事，但是她怎麼能永生不見到太太和孩子們呢？她寧可卑賤的留在這裡，她要做一切勞苦而卑下的工作，以報答補償對她恩重如山的太太。

秋姑娘就這樣留下了。寬大是她那個出身的大家小姐應有的態度，何況娶姨奶奶對於啓福衹是遲早的事情。這件事情應當由她來主動地做，而且她也預備做的，預備選擇一個不但適合啓福，更適合於她的姨奶奶。老爺的姨太太是大太太給挑的，這對大太太的身分，有說不出的高貴威嚴。但是沒想到秋姑娘趕早的來了，如果她要挑選的話，絕不是秋姑娘，沒有什麼理由，理由就是秋姑娘不是她選擇的。

她不斷的把秋姑娘留在自己的房裡，最初是秋姑娘吟吟的笑聲使得她這樣做的。一明兩暗的房子，那間寬大的堂屋是放了硬木桌、太師椅、自鳴鐘、帽筒、花瓶的起坐的屋子。堂屋左右便由她和秋姑娘分別居住著。

她房屋裡面的套間是睡的孩子們。每天晚上，秋姑娘都要把三個大的孩子打發上床，哼著她鄉下的哄孩子的曲子。把孩子們哄睡著了，然後就繼續爲她整理房間裡的一切。冬天，灌上暖壺，把季康的尿布疊好壓在棉被底下，免得半夜給孩子換尿布時冰涼的。夏天她放下蚊帳，驅蚊子，在美孚燈底下給孩子們納著鞋底。其實這一切，原來都由老張媽做的，但是她都接過來了，讓老張媽專管打掃地、擦玻璃那些粗重的活兒。秋姑娘做著這些事的時候，緊抿著嘴，一聲不響，是很低聲下氣甘心情願的樣子。她伺候太太上了床，還不肯走，仍然坐在窗下的方桌前縫補什麼，連呵欠都不打一個，眼也不闔一下，直到太太睡一覺醒來，催促著她：「怎麼還不睡去？」她這才把針線籃子收拾好，把美孚燈端到床前的茶几上，捻小了，才離去。看著秋姑娘的背影消失在昏暗的門外，她的睡意反而沒有了。靜聆著對面房裡的動靜。忽然，秋姑娘吟吟的笑了，彷彿是啓福出其不意的攬住了她的後腰，才這樣笑的。他就那麼耐心的等待著秋姑娘回房去麼？她恨死了！恨死了秋姑娘在她面前的溫順！恨死了啓福和秋姑娘從來不在她房裡同時出現！恨死了他們倆從沒留下任何能被人作爲口實的舉動！

秋姑娘的笑聲變成一塊鉛壓在她心裡，她一夜都不能睡，天亮了，才閉上眼睛。而一早，秋姑娘就過來了，她給孩子們穿洗打扮，打發他們吃點心。然後才回屋來問她：「太太您不舒服嗎？就別起來了吧！」她眞的是頭發重，心灰意懶的。她長長的呻吟了一聲，秋姑娘已經把洗臉水端到床前來了。

她竟躺在床上一天沒起來，秋姑娘更忙了，晚上留在她房裡的時間更加長，她的腿大概是做月子受了寒，酸酸的，秋姑娘就替她輕輕地捶了一陣子，以爲她睡著了，才躡手躡腳的推門出去。她又睜開眼靜聆著，希望發現秋姑娘的笑聲，但是沒有，那麼是啓福已經鑽進被窩裡在等著麼？她掀開被，下床來，坐到床邊的矮凳上，腿上衹有一條單褲子，她呆呆地坐到覺得寒意襲人了，才醒過來，要站起來回到床上去，腿更麻木了。

自從啓福收了秋姑娘以後，她就再也不到他們的房間去，雖然近在眼前。她有身分，也不屑於去。啓福每天都要過來探視她的，秋姑娘更不用說。像她這樣的年紀，丈夫已經有了姨奶奶，未免早了些，但是她自此不肯到他的房間去，她有一份大家婦女的矜持、驕傲和寬量，但是她恨他們。

她的腿的情形一直不太好，但是起來走走坐坐，也不是絕對不可以，然而她不，白天她推說頭暈、腿痛，倚賴在這張大銅床上。或許她眞是躺得太久，想得太多，吃得太少的緣故，有一天她竟眼前發黑，說了聲「我暈」，就昏過去了。等她睜開眼來，床前圍了一圈人，啓福是從衙門裡被接回來的，他坐在床頭摟著她，支撐起她的半個身子，原來她是靠在他的懷裡的。很久以來，他都沒有在她的床邊坐一坐了，更不要說這樣的靠在自己丈夫的懷抱裡。她長長的呻吟歎了一口氣，淚就下來了。但是啓福以及家裡一切圍在她面前的人，都異口同聲的勸慰她說：「大奶奶，別著急，您儘管養著病，家裡都有秋姑娘，您別著急。」

她聽了更痛苦地閉上眼睛，她沒有病呀，沒有像人們所說的那樣嚴重的病呀！但是她連這樣靠在自己丈夫懷抱裡的機會都沒有了嗎？她更用力地把頭頂在啓福的胸懷裡，讓她這麼和他多偎依一會兒吧，但是床前什麼人在說話了：

「老爺，您還是讓大奶奶躺下來舒服點兒，這麼樣，她胸口更窩得難受。」

這是誰說的？是秋姑娘的主意麼？啓福果然輕輕的把她放在枕頭上了，枕頭涼兮兮的。

這樣，她更不肯起來了，秋姑娘成天成夜地伺候著她，管理著孩子們。家人親友都誇說，虧得有秋姑娘，虧得有秋姑娘。

秋姑娘消瘦下來了，整個的家扛在她的原來就小巧的肩頭上，但是秋姑娘絕無怨言，仍是那麼樣，無論多麼夜晚，她守候在那裡，呵欠也不打一個，眼也不闔一下的。她難道不能饒恕秋姑娘麼？她可以慢慢練習著起床，走一走的，就像每天晚上，當秋姑娘回到他們房裡去以後，她不是也悄悄的起來，到套間裡爲孩子們蓋被頭，或者在方桌前的椅子上坐一坐，甚至於貼到門邊去聽對面房裡的動靜嗎？但是她不，她恨死了，於是她閉上眼睛又呻吟了，秋姑娘急忙的走過來。

「太太，不好過麼？」

她緊閉著眼睛，再呻吟一聲。

「太太。」秋姑娘輕輕地喊。

她原可以睜開眼的，但是她不睜也不答應。

「太太！」秋姑娘的聲音提高了，終於顫抖著，「太……太！」她發慌地跑到門邊去喊對面房裡的老爺。

啓福過來了，坐在床邊，拉起她的手，拍著她的嘴巴，輕搖著她的頭，喊著：「太太！太太！」她才微微地睜開眼來，「我暈。」她軟弱地說。

床頭有許多藥，也曾經有許多大夫來看過，她變成一個眞正的病人了。是眞是假，連她自己也分不清了。有時她確實是心灰意懶的，賴在床上連探起半個身子的動作都懶得做。陰天在被筒裡，她臉朝裡，叫秋姑娘點一根蠟燭給她，她便就著搖曳的燭光，看《筆生花》、看《九命奇冤》，乃至於看《西遊記》。但是有時忽然難以忍受的酸楚和憤恨交織的情緒發作了，她會扔下書本，閉上眼呻吟地喊著：「我暈哪——」把啓福和秋姑娘都招得慌忙的跑過來。

於是她常常的頭暈了。如果她聽見啓福從衙門回來，不到她的房間來，而逕往對面房去的時候，她會喊頭暈的。有一天，她注意到對面房裡早早的就熄燈歇了。於是她坐起來，下了地，挨挨蹭蹭的走到屋門那邊去。這些時，她更難得走路，兩腿也的確不對勁得很。她要到門邊去做什麼呢？她不能放鬆了心回到床上安安靜靜的睡下麼？就在那慌亂而又痛苦的刹那間，她有意無意地碰倒了床前的小茶几，上面的蓋碗茶、點心罐全摔到磚地上了。她要去摸索著撿起來，已經驚醒了對面房裡的人，他們跑過來，她就順勢坐倒在地上。啓福扶著她，說：

「這是怎麼回事？」趕快把她抱回床上去。她兩臂緊摟著啓福，忽然看見方桌上的美孚燈，於是她說：

「拿燈，我是要拿燈。」

啓福放下了她，立刻轉過頭罵秋姑娘：

「你是管什麼的，怎麼也沒把燈端過來哪！」

秋姑娘一聲也不響，忍受著啓福的責罵，默默地收拾摔倒在地上的東西。

但是過一會兒，他們倆就雙雙的回房去了，再一會兒燈又熄了。他並不是眞心爲她責罵秋姑娘的，不是麼？他們倆已經又入睡了。她覺得胸口裡脹氣，像仲康他們吹鼓了的氣球，快炸破了，她捻滅了燈，在無邊黑暗中，捶打著自己的胸口，抓撕著衣襟，「我暈，我暈！」她輕輕的叫著，嚶嚶的哭了。她不敢放大聲音，唯有這一回，她不是喊給別人聽見的。

到她的腿一步都不能動了，最小的季康已經有四、五歲了吧？那一年啓福病了，倒在床上已經不能起來，她想掙扎著過去看他，但是退化了的小腿，竟眞的癱在那裡，像兩根被棄置的細白棍子。

當啓福嚥下了最後的一口氣，對面房裡揚起了哭聲時，她一個人被丟在這屋裡，她又悔又恨，但一切都無能爲力了。

就這麼多年下來，她躺在這裡，繼續失去了秋姑娘，又失去了每一個成了家分出去住的兒子們，現在她祇有季康一個可依賴的兒子，但她有孫子。她很高興，希望孫子鑫鑫也常常到她床前來玩玩，如果鑫鑫不來，她爲什麼不可以喊頭暈呢！

但是她今天眞的感到很有些不自在了，從早晨起，她的頭就暈乎乎的，也噁心，可是她反而不要叫「頭暈」了，也懶得去點亮那小節蠟燭頭兒，就在黑暗中，她沉思著。想一陣，暈一陣，一直到天黑，她沒有喊一聲。季康敏感地發現了不尋常的情形，這一次他沒有等母親叫，便自動跑到她的床前來。

季康探頭到黑暗的蚊帳裡，伏下身來喊：「娘。」並且點燃了床前的蠟燭，這才看見母親已經恍惚了，她不能完全答覆兒子的問話。

季康慌忙叫美珍到附近醫院去，請位醫生來給母親先打強心針再說。季康坐在床邊，摸撫著母親的肩頭和手臂，他難得這樣的，一下子使他懺悔起來。這麼多年來，他都疏忽了，聽見母親的喊聲，從沒有一次痛痛快快的到她的床前來，所以，今天她一整天都不肯叫了。他對於母親所以癱瘓在床上的原因，雖然一直是懷疑的，但畢竟母親是因爲生他的緣故，才開始這樣的。很早的記憶，是比鑫鑫現在還要小的一天夜裡吧，他猛睜開眼，看見母親搖搖顫顫的走向他的床前來。娘不是不會走路了麼？他奇怪的想，卻莫名其妙的閉上眼睛，娘過來把被頭替他拉上來蓋住肩頭。第二天早晨起來，他看母親還是癱臥在床上，秋姑娘替她打來洗臉水，她仍然在床頭洗臉、吃飯和喊頭暈。他鬧不清是怎麼回事，不由得向母親說：

「娘，我昨天晚上好像做了一個夢。」他盯住母親的臉。

「說說看。」母親微笑著。

「我夢見你會走路了，來到我的床邊給我蓋被頭。」

「是嗎？」母親不在意地說，「夢是反的，夢見我會走路，就是不會走路。」

這個夢，季康永生也忘不了，而且在他漸漸懂事的時候，就懷疑那不是夢了。他以爲他最了解母親，雖然他也時常忍受不了母親的頻頻的叫喊。可是今天她不再叫了，眞正的昏迷在這裡。床頭的小蠟燭台已經燒完了，是誰買來了一根新燭放在小茶几上，但她已不需要光亮。

美珍領著醫生進門的時候，奶奶已經進入彌留的狀態，醫生搖了搖頭，但仍是打開了他的醫藥箱。屋裡顯得有些亂，鑫鑫躲在爸爸和醫生的身後，他對爸爸說：

「爸，我知道奶奶得的是什麼病，是不是小兒痲痹症？」

瓊君

陽光從靠西的窗角慢慢撤去，小圓几上的夜來香散出淡淡的清香，屋裡漸漸暗下來了。小白貓偷偷走進屋來，猛然竄到女主人的腿上。坐在藤椅上的人因此驚醒了。

「壞東西！」瓊君打著小貓，親暱的罵了一聲。她低下頭去，撿拾被小貓踏落在地板上的信紙。夜來香幽香撲鼻，她不由得伸手去摸摸小圓几上的夜來香，白色的花朵，襯出她的指甲肉略帶青紫，大病後的孱弱，還沒有恢復過來。

她把信摺好，又打開來，借著窗外微弱的光線，再看一遍，紙上的筆筆畫畫，都揉進她的感情裡。其實，她兒子滿生在信上祇簡簡單單的說，離開母親的次日，便北上入學，大學生活從此開始，預備到雙十節再回來，希望母親保重身體。毛衣不必忙著織，如果織的話，希望左胸前繡上他名字的縮寫——M和S兩個字母。

她帶著微笑，看著小貓在地板上滾毛線球，嘴裡不禁喃喃地說：「已經是大學生了，身材那麼高大！」那天他走進病房來，眞嚇了她一跳。她每年都要替他織毛線，第一次是嬰兒的小帽，上面綴個絨球，用的是在德記洋行買來的澳洲細絨線。她記得很清楚，買了半磅，織一頂帽子、一套衣褲，還剩下許多。現在呢，滿以爲一磅足夠了，到後來才知道，袖子還沒著落。這麼長，這麼大，好像在織地毯，織也織不完。

上次那件毛衣，還是三年前織的，比起那時來，他不止高一個頭吧。像澆了糞的大白菜，竄得這麼快！三年間沒有再給他織件毛衣，她不免歎惜，而且驚奇。三年後的今天，母子間總算和好了。從病房裡他第一聲叫媽起，從他的來信起，從織這件肥大的毛衣起，她將拾回一部分已經失去的東西。她希望拾回的這部分，能和現在的環境融合在一起，使她的生活更充實、更豐滿，而不至於有勉強彌合的痕跡才好。

小貓正捧著毛線球在打滾，她出神的凝視了一下，蒼白的臉上露出一絲笑意。想伸手去把小貓趕開，可是她心不在焉，懶得再去管教。毛線讓牠去揉亂吧，早晚總可以理得清，反正毛衣也快織成了。

不知怎麼，她忽然想起多年前一位女音樂教師講的話來。她和一群女同學，下課時總愛圍在鋼琴邊，有一次，偶然有幾個早熟的同學談到婚姻問題。漂亮的女教師，藍布旗袍外面披一件鵝黃色的毛線衣，漫不經心地用一個手指輕輕彈了兩下琴鍵，說：「中國女人早婚也還是有好處的……」「爲什麼？」「一個女孩子在沒有塑成堅定的個性前便結婚，比較容易接受夫家的生活方式和精神，使她的個性能融入夫家的傳統。不管好歹，總是很融洽的。晚婚便相反，有了塑成的個性和生活方式，再去遷就別人，便會感覺痛苦了。」

聽這話整整二十年了，在當時她毫無所動，因爲她還是個糊塗的女孩子。但爲什麼二十年後的今天，這些話忽然又走進她的腦海呢？

在那位音樂教師說過這話後不久，她便完成了初中學業。一個青天霹靂，一生潦倒的父親忽然在暑假中暴病去世。母親本來身體不好，又不能幹，靠著親友的幫助，才勉強把喪事辦了。

她穿著灰色陰丹士林布喪袍，頭髮上簪一朵白絨花，拖著不大合腳的白鞋，隨著那個做塾師的舅舅到各親友家叩頭道謝。她記得到韓四叔家，舅舅特別當面提醒她：

「可得給韓四叔多磕兩個頭，這回多虧四叔，是你們家的大恩人哪！」

她跪了下去，韓四叔連忙搶過來拉她，嘴裡的熱氣噴在她的臉上。她知道韓四叔對她們寡母孤女的恩情多麼重，她很懂事，不肯起來：「您要受我這個頭。」當她站起身來，從大穿衣鏡中看見自己灰色的身影時，不禁悲從中來，也許是在恩人面前，特別感到身世淒涼，止不住眼淚迸流，竟蒙著臉悲泣起來。

許多年後，瓊君每逢照到這架穿衣鏡，都要引起一些淒涼的回憶。想想也奇怪，她怎麼竟落得嫁給叫韓四叔的人呢？韓四叔比她大三十歲，原是她父親生前的好友，是擊吟社的吟詩朋友，因爲家中頗有祖產，老早就從宦海中退休，衹在幾個文化機關掛了「顧問」之類的名義，過著清高的隱居生活。他對瓊君父親的喪事盡了朋友之道，在親友間很受人尊敬。

不知道什麼人想起把瓊君做媒給韓四叔做塡房，瓊君的母親躺在病床上聽到這個提議，伸手抹了抹眼淚，說：「再好沒有了，我還能活幾天？要是這苦命的孩子隨了韓四叔，我也放心了！還是問問姑娘自己吧！年頭兒也不是老年頭兒！」倚在床邊的瓊君早羞得躲到外屋去了。她心跳得很厲害，沒有反抗的意念，反而有一種有了依靠的安心。成婚就在父親死後半年，孝服還沒有滿。她十六歲，他四十六歲。

從此，她在三進房子的大家庭裡，負起了主婦的責任，一串鑰匙，經常掛在衣襟下的鈕釦上。前妻所遺下的一個女兒正和她同年，個子似乎還比她高一點，第一次看見她顯得很惶惑，雖然爬在地上磕頭，臉上卻露出很不樂意的神氣。她覺得很窘，很想伸過手去，請教幾句關於管理這個大宅子的問題。可還是扳了臉，很莊重的受了滿珍小姐三個頭。滿珍小姐不愧是書香門第，很懂禮貌，開始叫她「媽」，管已死的母親叫「娘」。她對於禮數也不馬虎，每逢祭日，她都會領著這位大女兒，給她以前曾經稱呼過「韓四嬸」的女人上供磕頭。她是一個天生的好主婦，落落大方的態度，在親朋間博得了好名聲。她這樣做，原是出自她善良的本性，同時也是一個未塑的型，在漸漸融入夫家的精神的石膏，正像那位音樂女教師所比喻的。滿珍小姐也漸漸地成了她的朋友。

她不懂得愛情是什麼，但她在十七歲那年冬天，也畢竟做了眞眞實實的母親。韓家十七年沒有聽見嬰兒的哭聲了，一家上下都很興奮。韓四叔，不，四先生，尤其激動，徹夜守在堂屋裡來回踱著，焦慮的等著妻子生產的消息。傭人報信說：「恭喜四先生，是位小少爺！」四先生守的是老規矩，沒有進產房，祇隔著棉門簾輕輕問：「瓊君，你好吧！」

「好，四先生，恭喜你！」她軟弱的回答，隨著兩行淚從眼角順著鬢邊直流到枕頭上，不知是興奮，還是感恩。——她和韓四叔年齡相差這麼多，要她換口喊「雪章」很困難，因此她也隨著家人稱呼他四先生。四先生在青年時代也曾有過美男子的令名，到如今，一襲湖縐長衫飄飄然，也還有中年人瀟灑的風度。瓊君特別注意自己的裝扮，一件淡色的旗袍，兩粒珍珠的耳環，後頸上挽一個元寶髻。這種淡雅的裝扮，在瓊君祇是爲了他們雙雙外出時，使人看著相稱些，不要讓人把「一樹梨花壓海棠」的句子形容到他們夫婦身上來。同時也爲了帶著和她同歲的大女兒出去時，不要誤認她們是姊妹。在她那環境中，合乎身分是很重要的事。她理悟這些，比理悟愛情還早。

可是事實上，青春的光彩是壓制不住的，自從生了滿生以後，瓊君的身體發育豐滿起來，渾身好像灌注了什麼漿液，皮膚流露著光柔的滑潤，連頭髮都顯得特別黑亮，一切都像才在人生的路上開始出發，光芒四射。可是四先生呢！鬢角、額頭，已經顯露出代表生命累積的痕跡來了。

五十整壽那天，客散人靜後，四先生興致很好，在燈下鋪起紙來，爲瓊君的二十歲贈詩，那詩上說，他怎樣遇到這位比他年輕三十歲的賢淑的女性，她如何能持家和善待前妻的孩子，他晚年得子如何地快樂，自己年事已高又如何能與這位年輕的妻子白首偕老。濃黑的墨汁一筆筆寫到描金紅紙上，瓊君再一次從對著紫檀桌的穿衣鏡中望見了自己的側影——一個線條勻稱胸部豐滿的少婦，正站在一個兩鬢斑白神態雖然瀟灑可是已經露出倦容的男人的背後。唉，他眞的老了嗎？這時，睡在床上的三歲的滿生，正喃喃發著囈語，吊燈旁，瀰漫著菸霧，她輕輕吁了一口氣，在這一剎那間，她第一次產生了迷惘的感覺。

過了五十歲，四先生衰弱的現象更爲明顯；好在四先生不愁生活，有好妻子好女兒，使他能安心的養老。他更爲懶散，更加不修邊幅，灰白的鬍子索性留起來了，於是多了一項工作，小篦梳隨時拿來在鼻子底下梳來梳去，好像和他玩弄家藏的一百多隻香爐一樣，祇是爲了遣興。可是瓊君，她總是設法不去注意那撮灰白的鬍鬚。

一個冬天的早晨，爐火還沒有燒紅，屋裡很冷，四先生忙著給朋友寫壽屏，瓊君在桌旁伺候筆墨。一抬頭，看見專心寫作的四先生，鼻子裡流出了一朵鼻涕，拖在灰白的鬍鬚上，像一條小臥蠶。她不禁皺起眉頭，從桌上隨手拿起一張廢紙，疊來疊去，疊成一個細長條，然後放在嘴裡用力咬，咬上咬下，咬成一根小紙棍。她忽然想起，滿珍小姐曾經問她許多次：「您爲什麼嫁給我父親？」她一直無法答覆，這時她才想起來，不是應當回答說：「大小姐，我是爲了報恩。」這樣想著，她的良心卻又在苛責她自己，即使一點點壞念頭，也是罪過的！罪過的！

大小姐大學畢業後便出國了，在啓程的前一天，她特別到瓊君屋中來，瓊君正在練習作畫。那是一幅觀音像，畫好，題上「信士弟子瓊君沐手敬繪」字樣，可以使心情平靜。大小姐很誠懇的說：「媽！我這一走好幾年，爸爸近年身體不好，家裡都得您操心了。」「大小姐，家裡你放心。……」話雖這麼說，她到底還是落下了淚。大小姐是個能幹的新女性，書讀得比她多得多，似乎對她最同情，她們的感情一向很不錯。丈夫體弱，自己的孩子又這麼小，大小姐的遠遊，使瓊君失去了精神上的依賴。

漫漫長日，在空陰的大宅第中，經年都是同樣的氣味，同樣的情調：香爐裡的沉香末、爐火上的藥罐、紫檀桌上的古董、永遠畫不完的觀音像、年年拆了又添線的滿生的毛衣……瓊君畢竟還是年輕的，黑印度綢旗袍裹著有幾分消瘦的身軀，卻添了幾分憔悴的美。

過了幾年，大小姐學成歸國，韓四叔這一家也恢復了不少生氣，可是就在這時候，紅色的爪牙一步步張開，北方早就待不下，他們全家，還有大小姐的新夫婿，先撤退到上海，最後就一齊登上了中興輪，來到基隆。大小姐在台北住定了，四先生本來在歷史文化館有個名義，館方在台中撥給他一幢二十四個榻榻米的房子，四先生拿它同老家三進大房子相比，總是搖頭歎息的。可是有個小院子的日本房子也相當雅致，四先生一家就住到台中來了。

變幻無定的海島氣候，加速結束了四先生的生命。他懷念故鄉的詩句預定寫二十韻的，寫成了不滿八個韻，便和衣垂首倒在書桌上了。死，一了百了，四先生死而無憾。六十一歲的人，死在妻子兒女環繞的哭泣聲中，算是很有福氣的。瓊君念死者的許多好處，對她的許多恩情，如醉如癡的哭泣著。

她也曾仔細想過，今後殘餘的歲月，還是像她過去一樣，必得依附在另一個實體上，好像樹上的藤，以前她依附的是四先生，今後是滿生了。她雖這樣想，事實可不這麼簡單。她生命裡似乎又添了一個人了。

四先生死後，她的生活越發單調。她常常提前一天撕去日曆，不是大晴天也把四先生的舊衣服翻出來晾在竹竿上，大小姐剛有懷孕的信兒就忙著打點催生衣，給滿生買來的童軍服不管牢不牢，釦子全部縫一遍。就這樣，日子還是空空洞洞地剩下一大截。

在過年過節的時候，瓊君尤其覺得淒涼。韓家在大陸上有許多親戚故舊，四先生年紀雖然大，他上面還有好幾位老長輩，像九奶奶椿庭伯伯等，現在都應該是八、九十歲的人了。四先生的平輩小輩，更不知有多少。那時候的應酬多忙，生活多熱鬧，瓊君雖然怕應酬，但是到了台灣，有時候倒覺得寂寞得可怕。這許多親戚朋友，都留在大陸，現在是訊息杳然，生死莫卜。四先生是個重情感的人，想起他所收藏的許多字畫古書、許多親朋故交，生前一個人也常常流眼淚。住在台北還好，那邊熟人還多，可是偏偏住在幽靜的台中。滿珍小姐和她的夫婿一年也祇能來

一、兩次。滿生一上學，她不是逗著小貓玩，就是學她的工筆畫了。

在這樣情形下，嘉彬成了她家的熟客。嘉彬是比瓊君小兩歲的青年工程人員，本來是韓家的世交，管四先生也叫「韓四叔」的。他一向在上海讀書，後來又在南京做事，她也記不得有這樣一個「姪兒」。可是有一次，四先生把這個青年人帶回家來，對她說：

「這是我一個老朋友的孩子張嘉彬，現在在高壩工程處做事。嘉彬，這是你的四嬸！」

那天——記得是個晴朗的星期天——嘉彬就在他們家吃的午飯。她親自下廚房做了幾個北方菜，那位青年人吃得很高興。她從來沒有誇耀過自己的烹飪藝術，可是那時候台灣北方館子很少，台中簡直沒有地方吃到北方菜，尤其這麼可口的北方菜——她記得那位青年人說過這樣的話。他是學水利工程的，台灣的地方去過不少，什麼阿里山啦、太魯閣啦、鵝鑾鼻啦，他都描述得生動活躍。

「四叔、四嬸，——來到台灣，不能不去看看台灣的名勝，過年的時候，我陪你們先上鵝鑾鼻去看看溫暖的南海。滿生弟弟，咱們一塊兒去！」

滿生弟弟睜大了眼睛，聽得很出神。四先生也頻頻的頷首稱是。她很少出門，這次逃難，是她第一次出遠門。在中興輪上，她覺得天很高、很藍，海也很可愛。

她開始了解海闊天空是怎麼一回事。她又模模糊糊的覺得：身上掛著一串鑰匙，在五代祖傳三進深的老宅子裡走來走去，或是光著一雙腳，在紙門裡穿出穿進，這樣做人似乎缺少著什麼。

可是沒有等到過年，四先生的痰喘病復發，他不肯請醫生。西醫，他是不相信的，台中沒有一個他信得過的中醫。

他過去得很快。嘉彬住在離台中市不遠的一個什麼鎮上，為了幫忙料理喪事，請了兩天假，晚上就睡在他們客廳的榻榻米上。棺木是他去定的，電報是他去拍的，公墓是他去接洽的。他講得一口好台灣話，移靈的工人都聽他指揮，似乎對他都很有好感。

「四嬸——您去歇一會兒吧！滿生弟弟，你也別再哭了，這兒的事我照料！」

他的能幹是叫滿珍小姐都佩服的。瓊君自己沒有費氣力，就把喪事辦理得井井有條——她祇管癡癡呆呆的哭。

她看著入殮中的丈夫，不由得想起自己的父親。死人看來似乎都是差不多的，臉上的表情祇是平靜，並沒有書上所說的那麼可怕。因此使活著的親人哭得特別悲傷。

從喪事她又想到自己當初的婚事。沒有父親的那場喪事，她至少可以讀到高中畢業，不會那麼早就結婚的。可是四先生是她的恩人呀！

她眼裡噙住眼淚，看著這位忙得滿頭大汗的青年人。「要說恩人，這位張嘉彬可不也是恩人？」

她真想也向他磕個頭，可是——她不敢往下想了。

嘉彬出的力可眞不少。他去辦交涉，向文化館請來了一筆撫恤金；四先生原住的房屋，館方也答應由他的家屬暫時住下去。

幾個月來頻頻的接觸，她自以爲對嘉彬有了更深的認識。她認爲他說：「好吧，你身體弱，讓我去。」是他有熱忱，「不成，我答應過你，不能不做。」是他守信用；「你不對，不該忘記自己。」是他心地好；「你嘴裡不說，心裡明白。」是他認識人。至於在她自己這方面，她反而覺得不能了解自己了。說是有事找他來，卻又說不出什麼；瓜果自己同樣有一份，卻要問他是酸是甜；留他吃飯有僕婦，卻要親自下廚；他說她穿的藍長衫顏色好，卻認定他不喜歡她穿黑長衫。

她不敢作非分之想：「身分」的觀念在她的生命中打下了牢固的根基。她一想到她在偷偷地戀著這位青年，就有了犯罪的感覺，眼前不覺閃過恩重如山的四先生的影像。她滿心想打消這個犯罪的念頭，但是不可能。她企圖以拒絕見面來挽救自己，可是總有些小小的理由，把他們拉在一起。他不是個冥頑不靈的人，可是他似乎不原諒她。他爲什麼每星期天非到她家裡來不可呢？她究竟是他的四嬸，左右鄰居的冷言冷語，他總該躲避著些呀！再說，他辦公的地方一定有女同事什麼的，爲什麼他不去找一個女朋友呢？

他眞要是不來了，她的日子恐怕也是過不下去的。滿生上學放學，看見母親心神不安，忽悲忽喜的神情，瞪著大大的眼睛。她也曾想跟滿生談談。唉，這種事情怎麼能夠同他商量呢？怎麼能夠同自己的孩子商量呢？

這種事情，能夠同誰商量呢？

但是使她驚慌的是：滿生似乎跟母親開始疏遠，不單跟母親疏遠起來，很明顯的，他對嘉彬也表示著敵意。

嘉彬的爲人和藹可親，她相信凡是同他接觸過的人，沒有一個不覺得的。他黑黑的眉毛，長長的臉龐，臉上的鬍子根好像老是剃不乾淨似的，顯得經過風霜，見過世面；可是他會笑，笑聲很清脆，笑的時候眼睛發出頑皮的光，微微地露出兩排微黃可是整齊的牙齒，又顯得如此的年輕。他能幹，他健談，他一肚子的故事，像這樣一個大孩子，無疑是應該獲得小孩子的歡迎。不錯，滿生曾經喜歡過他。嘉彬哥哥幫他溫習功課，嘉彬哥哥買過皮球給他，嘉彬哥哥對他講過噴射飛機的故事，嘉彬哥哥常陪他去看電影，滿生實在沒理由不喜歡他。

滿生忽然的沉默和緊張，她起初以爲他有病，但是她很快的發現，他是在對媽媽生氣。他有時候臉上顯出一種可怕的冷笑，有時候一個人躲在房裡對著爸爸的那張相片發呆，有時候有說有笑，仍舊是一個快樂的小孩子，可是衹要嘉彬一來，滿生就不知躲到哪裡去了。

「滿生，滿生，來吃飯吧，開飯了。」她那天又做了一兩個菜，招待嘉彬。滿生不知從哪兒鑽出來的，臉上鐵青，眼睛衹是看著胸前的鈕釦。

這一種不友善的表示，把媽媽一肚子的高興不知趕到哪裡去了。

嘉彬這些日子顯得越來越活潑，滿臉笑容地走過去拍滿生的肩膀說：

「滿生弟弟，咱們先吃飯，吃過飯一塊兒去看電影！」他的北平話是道地的。滿生也說過，嘉彬哥哥的國語，比他學校裡的老師還要「帥」，可是今天嘉彬哥哥一切的「帥」，都歸無用。滿生猛然把肩膀一摔，頭仍舊不抬起來，恨恨的說了這兩句話：

「別這麼『滿生弟弟，滿生弟弟』的，好不好？」

一頓很不愉快的午飯吃完，滿生又不知到哪裡去了。她陪他在廊下坐著，他也顯得很有心事，平常那種談笑風生的勁兒，今天忽然都收了起來。她替他難過，她又覺得害怕，這一切都預兆著什麼凶惡的事情。她想起她父親去世的那一天，也是這麼好的太陽，她正躺在村子外的小溪邊，兩腳伸進了溪水中，讓冰涼的溪水流過她的腳面，忽然舅舅氣啾啾的找來了：

「瓊君！瓊君！快回家，你爸不好了！」

這一聲叫喊，從此改變了她的生活。可是她現在忽然覺得身體被嘉彬抱了起來，他的熱烘烘的嘴唇正用力的壓了上來。

「瓊君，我不能再稱呼你四嬸了。事情總得要有個了斷，我不能再讓滿生來笑話我！」

她想哭。好容易才迸出這一句話：

「你是眞心嗎？你知道我是個——」

「我們沒有不能相愛的理由。」嘉彬打斷她的話，他的擁抱眞可怕。

當天晚上，嘉彬在回去之前，特別囑咐了她這幾句話：「瓊君，抬起頭來，你有戀愛和結婚的權利，沒人阻擋你。」

隔了幾天，大小姐忽然從台北趕來，她似乎聽到了什麼風言風語，話漸漸轉入正題，瓊君不知哪來的一股勇氣，很坦白的說：「大小姐，我打算朝前走一步。」她到底不敢說「再嫁」兩個字。她這句話幾乎是衝口而出的，事前沒有準備，所以說完了不由得低下頭。大小姐回答得很理智：「你的寶貴青春都爲爸爸犧牲了，你有充足的理由再嫁。」意外的順利，幾乎使她不敢相信。她又和大小姐商量了許多細節，最後決定，她親生的兒子滿生隨他的異母姊姊和姊夫生活。

不肯妥協的倒是滿生。他自從知道了母親的決定以後，母親喊他、哄他、照應他，總是一個不作聲。他很倔強的跟著姊姊去台北，他一聲「媽」叫得很勉強，可是她看出來孩子的眼圈是紅的。

她的婚禮很簡單，祇有滿珍和她的夫婿，還有嘉彬的幾個朋友來參加。滿生，她讓他留在台北，她不願意再刺激他。

瓊君所認為的奢侈的夢終於成為事實了。她和嘉彬的生活有無限的甜蜜，想到這種情愛的生活將被她無限期的占有時，她真覺得快樂，滿足。

三年平靜的生活過去了，她得了一種必須動手術的病症，嘉彬在志願書上簽了字，她的生命算是交給醫生。她躺在白色的病床上，心情特殊，不知怎麼竟苦念著三年不見的滿生，也許是因為開刀後不能再生育而聯想到與她血肉相連的另一個生命，也許是對於這次手術發生恐懼，因而懷念與自己生命有關的人。她想到滿生呱呱墜地時洪亮的哭聲，她想到冬夜火爐的鐵擋上烤尿布的情景，她想到第一次領滿生進學校，她想到一身喪服匍匐靈前的中學生，她想到她再嫁前那憤恨的面孔。那個從她身體分裂出來的肉體，就永遠和她沒有關係了嗎？她幾時才能得到孩子的諒解？等滿生對愛情或婚姻有了體驗才了解母親，不是太晚了嗎？當嘉彬進病房時，她含蓄的問：

「我也許會死，不是嗎？」

嘉彬握住她的手連忙安慰說：「手術是安全可靠的，不要多慮。」

「但是，」她沒有正視嘉彬，斜望著床前小几上的檯燈，「動手術前，我想看到所有的親人，嘉彬，除了你，我不是還有個親人嗎？」

「你指的是滿生？我去試試看。」嘉彬眞聰明，一下就明白了。

瓊君這樣說了，並不敢眞正的期待。但是當她第二天午睡醒來，正作抬入手術室之前的準備時，病房門輕輕叩了兩下推開了，隨後一個高大的青年走進來。她嚇了一跳，驚疑未定，一聲「媽」才眞正地喚醒了她。「是——是——是滿生！」她笑了，淚也流了出來。「你眞的來了！」她聲音哽咽著。

他們母子沒有談敘別後，因爲那容易觸及當初不愉快的事情。這樣已經很夠了，他知禮的微笑著站在床前，她多高興啊！

「聽說你已經考了大學。」

「媽！我已經考取了，等您動完手術，我就要回台北去註冊。您什麼時候動手術？」

「你去吧，這兒很方便，而且還有——」她想說嘉彬，終於沒有說出來，臨時改變了口氣：「還有——，我要給你織件毛衣，你喜歡什麼顏色？」

「不用了，也好，顏色您瞧著辦吧。」

絮絮叨叨地談了一陣，滿生就說先去外面買點東西再回來。看那高大的背影從病房外消失，她滿心輕鬆，解除一件心頭的重壓後，她才安心的被抬入手術室。病人的心理得到安慰，她的身體也恢復得很快。

出了醫院，長日無聊，她開始穿動著兩根竹針給滿生織毛衣，線球滿地板的滾，她的思維也跟著團團轉。接到滿生的來信，她竟呆想了整整一下午。

「睡著了嗎？怎麼不開燈……」是嘉彬進來說話的聲音，跟著室內的日光燈「刷」地亮了，看見瓊君呆坐在躺椅上，他走過來撫著她的肩頭，低下頭來問：「又在想什麼？」

「我嘛？」瓊君直看著嘉彬的臉，「我在想，鵝鑾鼻那地方的海到底有多麼溫暖？」

「好吧，等你病養好了，咱們就去。你來了台灣這麼多年，還沒有見識過台灣的名勝！還有滿生，你寫信叫他來，一塊兒去！」

四十五年九月二十日

我們的爸

文英

「熊太太眞是多禮，」文英一邊打開熊太太剛才送來的小紙盒一邊說，「喲，公翰，你看看，一枝派克原子筆、一隻花別針，惠惠一定高興極了，我馬上就給她寄去。」

文英把兩樣贈禮遞到公翰的面前，公翰看了一眼，點點頭，他一向是不注意孩子們這些細節的，他又埋首到報紙上去了。

文英又把紫紅色的筆桿轉轉看了看，上面還電鍍上「高惠惠」三個字，那只花別針呢，也一定是外來貨，金屬盤上鑲滿了各色的水鑽，冬天如果別在呢外衣上，配上惠惠的細白皮膚，一定很美的。文英覺得熊太太禮送得眞重，使她將來要還什麼禮的時候，很難處理了。但是她繼而又想，有什麼關係呢，熊太太是富有的人，而且她的東西又是直接從外洋買來，合起台幣並不算太多，更主要的是熊太太衷心的喜歡惠惠，因爲她自己沒有女兒的緣故。像剛才熊太太那樣熱情地拍著她的肩頭說：

「我眞羨慕你，袁太太，兒子去年保送台中農學院，女兒今年保送東海大學，你這老太太可樂啦！」

熊太太記錯了，兒子天惠是前年保送的。熊太太又抖落著胖身體，大笑著說：

「看，孩子們上了大學，咱們還不是老太太了嗎？可是我這位老太太可不鬆心呀，去年老大考的系不合志願，今年又回頭考，這麼大熱天。」

文英有些難爲情的說：「看，大弟弟去年畢業，我也沒有……」話沒說完，熊太太就攔住說：「哪裡，我這些都是不用花錢的，而且保送到底是可賀的事呀！」

文英當時確是滿心歡喜，心裡開了花似的，笑著回答熊太太：「惠惠走得匆忙，也沒有來得及給熊媽媽辭行，等放假回來再去看你吧！」

想到這兒，文英也就心安理得了，她收拾起禮物盒，要送回抽屜裡，不由得搖了搖頭，熊太太居然給封起稱號來了——老太太！眞是，天惠念大三了，做母親的還不該是老太太了嗎？而且，自己確實是有點老態了，雖然才是四十多一點的人，這兩年眼睛的視力首先就不靈，頭又常常發暈，檢查又查不出什麼具體的毛病，醫生就是會說，缺少維他命B！其實一句話，這就是上帝派了「老」來作祟。

但可喜的是孩子們都讓人滿意的乖巧，不但書讀得好，又識大體、懂禮貌，使她和公翰結婚做了再嫁夫人後，並沒有遭遇什麼困難。祇是孩子們長大了，一個個像長滿羽毛的鳥雀，都要飛出去了，未免使她寂寞一些。可是這也不能怪孩子們呀！怪的只是怎麼這樣湊巧，天惠保送到台中，惠惠也是。祇是因為分數差了些，所以沒能得到志願保送台北的台大，如果在台大多好，守著家，免得讓她這麼寂寞和惦念。

文英想起沒完，索性坐在藤椅上發起呆來。禮物盒還沒有送進抽屜裡，她又不由得打開來，轉動著那枝紫紅色的原子筆，眼前浮起了天惠和惠惠兩張稚氣的臉蛋兒。

天惠自從入了大學，在家時日更少了，兩個暑假他都參加戰鬥訓練，爬山入水，憑空給她添了許多憂慮。但是孩子偏說機會是難得的，別人的體格還不能及格參加呢，這話也是真的，他那健壯的身骨，就和——唉！就和當年的宗新一樣。但是宗新怎麼就變得那麼沒出息！丈夫的責任、父親的責任，都不能負起來，沉溺於酒與賭，終於使她不得不攜著兩個幼兒和他離婚。

想起那幾年和宗新所受的罪，她還會不寒而慄，幸虧她敢於下決心離開他，如果混到現在的話，孩子們能順利地念大學，而且是保送嗎？即使是能保送，像東海大學是私立的，總要花一筆錢，怎麼念得起？那時惠惠還不得乖乖的輟學在家幫忙燒飯洗衣！

不要說別的，記得和天惠一起保送到台南成功大學的一個同學，不就因爲家境清貧，無力獨自離家在外升學而放棄保送，又報名投考台大嗎？

但是——，文英也有一點疑惑，那天好幾個同學到家裡來，孩子們吵吵鬧鬧的，祇聽見他們說，哪個保送哪裡不要去，哪個又哪個，都要放棄保送回頭再考。他們也在勸天惠並且挖苦他，說他志願念電機的，保送農學院也肯去，太丟同學人了，一定要天惠也放棄保送，和他們一樣的再報名投考，但是天惠任怎麼說也不答應，連她在隔壁中聽到，都想過去鼓勵天惠也乾脆放棄保送算了。如果考取台大電機系，不但合了志願，而且離家近，也好照顧，她到底捨不得孩子離開她——正是爲了捨不得孩子受委屈，她才無論如何苦也要帶著孩子和宗新離婚的呀！

可是孩子還是遠去了，不祇一個，而且是兩個。

同樣的情形，惠惠的幾個女同學，也都放棄保送不合理想的科系，寧可回頭重考。惠惠卻不，她說得也有道理，在台中，離哥哥近，怕什麼！

她有點莫名的傷感，眼睛濕潤了。她勸慰自己，應當滿意，孩子們雖然走遠了，還有公翰這樣的第二任好丈夫呢！

想當年離婚後本不打算再婚的，想獨力的撐下去，可是撐不到兩年，已經苦不堪言，卻在這時遇見了公翰。他正直、公平、高尚、健康，最主要的是經濟情形不用發愁，所以她在筋疲力竭的時候，立刻就投入公翰的懷抱。

公翰對兩個孩子是沒話可講的，他雖然從來不會跟孩子談笑風生，或自動地想到給孩子買點兒什麼，但是大權都在她手裡，她用他的錢買，還不是和他買的一樣嗎？就像天惠進大學兩年，她就爲他做了一套西裝，因爲他已經是個大男人，而不再是男孩子了，也許有時要到教授家去談談話，喝喝茶，說不定教授有個漂亮的女兒呢。不要讓孩子太寒酸了，他們還不至於混不上一身西裝給孩子。惠惠呢，這次替她買了一雙高跟鞋，她是活潑的女孩，東海是洋派學校，交際的事情也許會有吧？買這些東西的時候，她都扯謊向孩子說：

「你爹爹提議的，快去謝謝他罷！」

於是孩子們都很知禮的過去謝謝爹爹，天惠每次來信都是左一句父親大人，右一句父親大人的，非常尊敬公翰。

這一切還不夠她滿意的嗎？她還要求什麼？

她又一次心安理得的蓋上了禮物盒，這回眞的送回抽屜裡去了。

她順便向著桌上的鏡子裡望望自己，摸摸頭髮，擦擦嘴角，做個凝視的姿態，看看自己到底有多老？如果眞的老的話，也是和宗新生活的那幾年種下的根。他使她受了那麼大的苦，她怎麼知道他竟酗酒到那種程度，豪賭到那個地步！是的，他的確比公翰喜歡逗孩子，給孩子買東西，但要等到他難得贏錢的那一天，否則，她跟他吵，他就把氣出在孩子身上，天惠挨了不少打，他應當記得，他已經不小了。

文英把凝視的眼光從鏡中收回，她不要再想這些惱人的過去，但是她的腦子裡又驀地掠過一個問題，宗新的現狀如何了？這幾年都沒有他的消息了，還在高雄嗎？離婚書上的條件，孩子是姓他們生父的姓，而且父親對於子女有探望權。離婚後的前兩三年，天惠他們還每年和宗新見一次面，但是後來和公翰結婚到台北來，這一年一次的父子會就無形中取消了。宗新既不要求來看他們，他們的關係就像斷絕了一樣，所以這兩年她連他是否還生存在這個世界上都很懷疑。

孩子們可也好，這幾年難得提到他們的生父，簡直就沒有提到過嘛！「有奶便是娘」這句話的意義眞不錯，那樣的父親怎值得孩子們記憶呢！不過——文英繼而又想，畢竟孩子是高家的人，是高宗新的孩子，不是袁公翰的孩子，如果宗新有個三長兩短，孩子們不也應當知道？可是，讓她上哪兒去打聽他的下落呢？唉！她輕輕的吁了口氣。今天爲什麼總想到這上面去，眞神經！她責備起自己來了。

爲了要打斷自己在這上面不停的念頭，她站起身來，走出去，換換空氣。

院子裡的陽光很強烈，她想不出這個時候做什麼好，如果像往常，兩個孩子在家，她一定會替他們弄水果啦，拿出鞋子來替他們擦啦，把阿嬌熨過的制服再熨一遍領子、口袋什麼的啦。但是現在，這些都隨著孩子的遠行而失去了，沒有孩子的生活眞是空虛！空虛的空虛，她嘴裡不油然的念出《聖經》上的這句名言，像她這樣年紀，孩子也許比丈夫更重要吧？她向坐在屋裡專注在看書報上的公翰瞥了一眼，搖搖頭，他沒有孩子，當然不知道沒有著落的心情，是什麼滋味，儘管他現在名義上是個好父親。

——這樣好的太陽！她忽然想起來了，把惠惠的衣服都拿出來曬曬吧，秋天馬上就來了，那是台北雨季的開始，趁它還沒有來臨。

她這麼想著，就到惠惠的臥室去，整理她的衣物，因爲中部氣候好，所以把準備好的毛衣、外套之類的又留下了，說是等下次回來再帶去。

她先從大箱子裡拿出天惠的短大衣，呢長褲，一件件用衣架撐好送到院子的太陽底下去。每晾開一件，她都要觀量一下大小，驚奇於孩子們的茁壯，也聯想到自己的老，眞是又高興又難過。

還有就是這只小箱子了，裡面是惠惠的幾件毛衣和雜物，臨時留下沒帶去的。

其實這箱子裡的毛衣不必曬也可以的，她雖這麼想著，卻已經隨手把箱子打開了。

拿出了毛衣，她發現箱底壓著一束信，用橡皮圈套著，她好奇地拿起來看，疑心是惠惠有了男朋友，仔細地看，才認出那是她哥哥天惠的字體。怎麼？沒有寫到家裡，而是寄到惠惠學校？她不由得好奇起來，她想，是哥哥的來信，母親就不必考慮，一定可以看的，就是眞的男朋友的來信，在母親的責任上，也還可以檢查一下呢！

想著，她就不客氣地把橡皮圈拉開，抽出一封來看：

惠妹：

一個星期了，還沒有接到你的回信，真是急人，真怕你放棄保送，又參加聯考。你還沒有決定嗎？怎麼這樣沒有決斷力?!

你說你怕媽媽寂寞，如果我們兩人都離開她的話。那實在是你的杞人之憂，媽媽有「父親大人」陪伴著，是不會寂寞的，他們的情感一向都很好，也用不著我們操心。寂寞的反而是爸爸，你不以為嗎？前信我不是告訴了你一些情形了嗎？……

文英看到這裡一愣，嗯？爸爸？公翰嗎？但是語氣似乎不太對，她再看下去：

……他聽說你保送東大，不知有多高興，你放心，爸已經不打牌了，只是還愛喝兩杯，淺斟而已，我有時也陪他來兩杯生啤酒，無傷大雅。他還說，想像到看見亭亭玉立的你，就如同看見媽媽的當年一樣，一定會給他一些美麗的回憶，他如今真老了！

文英把信按在胸口上，有點支持不住，坐在床沿上。她這回才明白這「爸」是誰了，「父親大人」和「爸」，是不同的兩個人，而語氣之間，是多麼的，唉，她第一次發現自己的兒子的心靈深處埋藏的情感，是怎麼個情形，而且，這眞是一件神祕的事情，他——宗新，是什麼時候，怎樣情形下出現在孩子面前的呢？她的心噗噗地跳著，但仍要繼續的看下去：

……你千萬不要魯莽從事放棄保送，等我回家後，咱們再詳細地談。我後天回家住三天，就去參加暑期戰訓的海洋大隊，浮游於萬頃碧波上，遠比在家和「父親大人」禮貌周旋來得有興趣些！

再見！

天惠　七月十六日

文英收進這封信，又急忙抽出下面的一封，看看日期，是更早的一封，密密麻麻的寫了三張，她急須了解一些事物，便迫不及待的看下去：

惠妹：

今天同時接到媽和你的來信，多麼高興你保送到東大！媽媽也很高興，你怎麼還說不滿意，還要和同學一起放棄呢？可別這麼做。

談起保送，我願意告訴你一件我一直沒跟你提起的心情。當年被保送到台中農學院時，許多同學都勸我放棄保送，再參加聯考，一定可以考到我志願的科系，但是我立定主意的放棄了，為什麼？為著藉此離家！你看到這裡，不要罵哥哥是個不孝的兒子，我深愛媽，也了解她自離開爸爸後為我們兄妹的艱辛。我更自信有一天若能出人頭地，媽是第一個應當受到崇敬的；我若賺了錢，也會首先想到孝敬她。但是，當我發現有一個可以擺脫「父親大人」的機會，我就不願放棄了。我總覺得我們之間是有隔膜的，雖然他一直對待我們毫無惡意，我希望我能離開家，讓媽媽和他生活得更自然些。

最主要的當然還是我曾在無意中知道爸在台中，我的心不知怎麼就傾向到台中了，對於我，父子之情是一件最自然的事情，我相信你也一樣。

一年多來，我和爸相處的情形，你也知道些。對於家庭，他是有虧職責的，但他是爸爸，我們不能原諒他嗎？我們的身體裡都流著他的血！

媽媽和他離婚並沒有錯誤，他不是個好丈夫，起碼對於當時的情形來講，但也因為媽離開了他，才促使他重新做人，如果媽仍和他在一起，容忍著他，將更不堪設想，這豈非奇異的婚姻！

當爸在許多次來來回回的講這些時，他都表示愧對媽，也感激媽。他看來比實際的年齡大，由於酗酒，手總是有些發抖，但他是一個多麼富於風趣的人！他應當是一個藝術家的，「家」困住了他，所以他就變得那樣了，他就是這麼個性格、這麼個人，但他是我們的爸。

我有機會照應他，也得到許多課本上、農場裡得不到的東西，但是媽媽提起來會恨的，所以我從來不提他，你也不會多嘴的吧……

文英看到這裡，眼睛模糊了，她把信疊起來，不忍看下去，卻在想，孩子們需要的是親情的愛，在她這裡得到的感到不夠了，那麼，她能怨孩子們去接近他們的「爸」嗎？那是最自然的事，天惠說的。如果孩子們能從兩片破碎的愛去把它們拼合起來而享有它，不正是孩子們聰明嗎？她這麼想著，竟產生了一種安寧感覺，心漸漸的平復下去，兩顆淚珠掉下來，就沒有再接著流。

外面的腳步聲響了，她才驚醒過來，急忙用手抹一下眼睛，把信塞進箱底。

「你在做什麼呢，阿嬌喊你吃飯也聽不見？」

是公翰來催她吃飯了，她連忙答應著，把箱子鎖起來放回原處。

到飯廳裡坐下來，她心想，今天是星期日，那父子女三個又不知道在台中哪家小館子了吧？她想像得出他們的樣子來，想像得出來的。但她卻揀了一塊鹵鴨肝送到公翰的碗裡，說：

「喏，你嚐嚐，阿嬌的手藝也不錯了。」

宗新

他今天並沒有按照習慣坐到角落的座位，他逕直地往裡多走了幾步，進到一間雅座裡。茶房劉頭兒笑咪咪的跟了進來，一邊擺著碗筷，一邊問：

「高祕書，今天還是跟大少爺爺兒倆嗎？先點菜吧？喝什麼酒？」

高宗新連忙伸出三個指頭來給劉頭兒看，表示是三個人的意思，但是他卻一時不知道應當怎麼說出那另外的一個人是誰，劉頭兒已經拿出打火機，替他把菸捲點燃了。

吸了兩口菸，他很高興的隨便點了兩個菜，便停住了，劉頭兒又問：

「喝什麼酒哪？就點兩個菜？今天有螃蟹。」

高宗新想了想，說：

「等下再說吧，人來了再點好了。」

劉頭兒又倒了一杯熱茶便出去了。宗新看看錶，又拿打火機在桌上輕打著，好像在愣愣地想什麼，卻又向牆壁上東張西望的，有點手足無措，停一下，他又站起來，掀起布簾向外面的茶房說：

「要是我的大孩子來了，我在這裡。」

茶房含笑地答應了，他又退到雅座裡。坐下來，腿就輕搖著，吸著菸，桌面上有今天的報也不看，專心在等待。

他在等女兒。

隨著他吐出的一口菸，小小的惠惠的笑容，朦朧地來到菸霧裡。他也跟著展開了笑容，可是他又搖晃一下頭，惠惠的臉龐消失了，他也清醒過來，心說，那不是現在的惠惠呀，那還是個小學生呢，現在的惠惠，是大學女學生咧！是堂堂東海大學的女學生咧！而且又是保送的！眞了不起！和哥哥天惠一樣，都是保送進大學的。他驕傲起來了，菸也不吸了，側起頭，嘴抿成一個怪樣子，也不自覺。

他想像不出現在的惠惠是個什麼樣子，他簡直想像不出。他倒是看過惠惠給哥哥寫的信，一筆娟秀的字，每個字都帶著怪淘氣的小勾勾，完全是一個沒練過字帖的自由體，因爲他沒教過她，有虧父職！雖然他是寫得好一筆瘦金體的爸爸。

他一斜頭，從門簾望出去，外面正走進來一個少女，他驀地一下緊張了，但隨即鬆下心來，陪那少女一起的是一個中年婦人，那不會是惠惠的，惠惠是跟哥哥一起來的。

他看看手錶，離他們約定的時間過了十幾分鐘了。他有一點猶豫，但是繼而又想，那算不得什麼，雖然每次光是天惠一個人時從沒誤過時間，正午十二點一定到達這裡，但是今天不同呀，今天天惠是陪著妹妹來呀！陪著大學女學生了，總會有些耽擱的，比如惠惠去找哥哥，誤了幾分鐘，兩人再談幾句話，又誤了幾分鐘什麼的。他們就會到了，他的頭又斜著望出去。

他記得第一次和天惠見面就是這樣的，也是焦急地盼望著兒子的來臨，也是想像不出做了大學生的兒子是個什麼樣子。當他最後一次見到他們兄妹倆的時候，天惠剛進中學，小小的個子，就彷佛長不大的樣子，可是等到那樣一個漢子站在他的面前時，他幾乎傻了，他祇有點著頭，不住地說：

「好！好！」

天惠當初是先給他寫了信來的，那信寫得是多麼誠懇和天眞，那種「萬里尋父」的親情，使他這遊蕩流浪的父親受了多麼大的感動！自從文英帶著兩個孩子棄他而去以後，他對自己已經毫無信心了，這才清醒過來，才知道自己一向是做了些什麼事，而落得這樣的下場。他彷佛是因爲不喜歡家庭才加深的做出那些事來，等到沒有家庭了，他才感覺到人生是多麼的空虛，可是一切已經晚了，他更加的沉淪，酒與賭變本加厲下去。以前是爲了尋求生活的刺激，因爲家庭是累贅；後來是爲了麻醉，因爲家庭太空洞。這是多麼的矛盾！矛盾的生活，矛盾的生命。最近這幾年，他厭倦了賭，喝酒的能力也減低了——看拿著香菸的手都微微的顫抖，喝酒的成績！拿起筆，瘦金體成了春蛇秋蚓，他字也不寫了。像老僧入定一樣的安靜下來，獨自在台中的貿易公司裡做著祕書的工作，過的是沒有以前，也沒有以後的衹有目前的日子，就是所謂「混」。而就在這時，天惠的信來了，他記得那封信，他可以背下來：

爸：

還記得您有個兒子嗎？我是在一本職員錄上，偶爾發現完全符合您的履歷的名字，才忍不住寫信給您的。您的兒子雖然在充分的母愛下長大成人了——他已經是台中農學院的Freshman。但是生活的缺欠，使他暗暗在人海中尋找。終於在和我就讀的大學的同一城中找到了您。您願意見我嗎？……

當這個五尺五寸高的漢子坐在他的對面時，他好一會兒才鎮定下來，才完全相信這是他的兒子。他們曾做了這樣的對話：

「爸，您還是我記憶中的樣子。」

「我老嘍，倒是你長大了。好，好。」

「您一直在台中嗎？爸。」

「我嘛——到處走，來台中有三年了。」

「那年看見您，還是在高雄鼓山那邊的房子裡。」

「是的，六——六年了。」

他們曾經沉默了一會兒沒說話，說到六年，不由得兩個人都要計算一下，六年是怎麼過來的。天惠這六年，是整整的讀了六年中學。就是在六年前，那時是他和文英離婚後兩年，文英終於做了再嫁夫人，帶著兩個孩子到台北去了，從此斷絕了來往。他又在高雄遊蕩了三年。三年前來到台中，想一切從頭做起，但懶散多過振作，終於變成了消極的混日子。但是兒子卻說：

「我們六年一直在台北。」

我們？是的，「我們」是他們母子女三個再加上另一個，唉！他這才想起，說了半天話，還沒問起文英呢！他總該問問的：

「你媽好吧？天惠。」

「好。她很好。」

又沉默了一下。她好，而且很好，這該是可以放心的。但是他幾時又關心過她呢？她現在有人關心了。他又不由得問：

「大家住在一起很和氣吧？」

他說出來立刻就後悔了，他憑什麼要問這樣的話？他的關心的範圍未免太廣了，但是話說出去又收不回來。天惠卻又說：

「還好。嗯——爸，您不怪媽媽吧？她爲了我們兄妹很艱苦的。」

「不不不，天惠，只有我愧對你媽，是我造罪。知道你媽過得很好，我就安心了。」

「您放心，爸，媽媽是一個堅強而有毅力的女性。」

「是的，有福氣的男人才娶她，我一時錯誤，放棄幸福的生活，後悔也來不及了。」

他還沒對什麼人吐露過這樣悔過的話，這是在兒子的面前，不由衷的，潛藏於內心的，忽然在不知不覺間流露出來了。

很奇怪，自此以後，他們父子倆很少很少再談到他們的母親。但他曾問：

「惠惠呢？」

「她已經讀高二了，總是考第一，您一定高興。」

他當然高興嘍！但那是誰的功勞呢？還不是文英的教導有方。當然，那個人也許有關係吧？聽說他是一位能幹而有地位的技術人員，是一個清廉頗得好評的官員。他怎麼能和人家比呢？自覺尷尬，也就不願觸及談到了。他是獨子，年輕時過慣了少爺的生活，不肯受家的束縛，他不喜歡每天回家面對文英的考查和抱怨，於是他發出了少爺的脾氣，以無賴的心情和舉動，反抗文英的約束和灌滿兩耳的善言。賭得更凶，喝得更醉。他曾經以最難聽的話投擲文英，傷害了她的自尊心，撕破了容忍的最後一層皮，她離開他了，那不怪她，只怪他。

但是在六年之後，她把這樣一個完美無缺的大兒子送到他的面前來了。他被稱爲「爸」，但他從來沒盡過爸的責任，或許，另一個男性倒替他盡了不少義務，他反而是做了現成的爸爸。是不是文英有意讓兒子回到他面前來呢？他只問過一次：

「你媽媽知道你找到我嗎？」

「啊——我還沒跟她提起。」

兒子支吾的語調，使他懷疑了，從此他不再問這句話，所以至今他也不明白到底文英知不知道他們父子的會面。

他自覺對兒子缺欠太多，不是物質可以補償的，他要以——以什麼來補償呢？以他的爲父的愛吧，這種愛，也許孩子在他的情敵（他也配說人家是情敵嗎？）那邊得不到。他曾愛過孩子，他記得他把大把賭贏來的錢給了愣愣望著他的兒子，文英在一旁繃著臉，緊閉著嘴唇，好像拳頭都捏緊了，心裡不知燃燒著多麼憤恨他的火。他憑什麼在贏了錢，在疼愛自己的兒子的情形下，受到這樣的眼光呢？於是他一賭氣，大拍了一下桌子，又出去了。這種怒目無言相對的情景，天惠還記得嗎？他能原諒這樣的爸爸而來尋找他，爲了這，也使他覺得人生還有得留戀，還有些什麼可作爲的了。於是他每星期都和天惠約會在這家小館子見面，他們喝一點酒，他叫兒子也喝。如果文英在面前，又不知該怎麼對他怒目而視了。眞是的。文英拿這一對寶貝兒女守得緊緊的，一絲兒也不讓他這沒出息的父親去碰他們，好像他是一粒可怕的傳染菌，一經接觸，就有無窮悲慘的後果。

說眞的，如果文英換成另一個女性，容忍下去，沒有家教，天惠，還能是今天的天惠嗎？文英走，是對的，她沒有對不起他的地方。他們平日仇恨到那樣凶的地步，但是那一次談判離開，卻是多麼的平和呢。

那一天，他從三天連接不歸中回來了。是一個慘敗的黃昏。他準備再面臨一次照例的冷戰或熱戰，但是沒想到家裡很安靜。文英在廚房裡。他一點兒都不疲倦，爲保持他的尊嚴，所以還故意到紗櫥裡去找酒，就在這時，他聽見菜一樣樣擺上來了，他聽見文英平和的聲音對天惠說：「叫你爸爸吃飯吧！」他們吃飯沒有聲音，這是冷戰。他懷疑下一步是不是接著醞釀後的熱戰？他要準備，但是一頓飯吃完，始終沒有出現。冷戰到底啦！他喝著酒，心中還冷笑呢！

吃完飯時，文英先對小兄妹倆說：

「你們到大街上老裁縫那裡去取你們的衣服吧！」

「媽，您忘了，是明天才做好。」

「是今天，我又叫老裁縫提前一天的。」

兄妹倆高高興興的出去了。立刻，文英就在他面前坐下來，他最後的一杯黃湯還沒灌下肚呢！

「宗新，我們兩人做一次和平的談判，都不要動氣。」文英和詳的微笑著，話音雖然微顫，但那是經過幾番熟慮之後說出來的。

「嗯。」

「我想——我們分開也許好一些，這樣下去，雙方都痛苦。」

「好。」他竟沒有猶豫，更沒有反抗，但是當他看著那邊桌上的兩個書包時，文英補充了一句：

「孩子我帶走，我負責。」

「好。」除了這以外，他沒有什麼可說的，無論如何，來得倉促些。文英不像別的女人，她平常是從不把「離婚」掛在嘴邊的，但是她一經說出，那就是一件已經決定的事。

就這樣，太意外——意外和平的決定了他們的離婚，連朋友要說合都來不及了。

他知道他對她缺欠，讓那個男人代他補償吧。聽說他們過得很好，孩子也安全，那就隨它去吧。他不想他們了，把他們忘得乾乾淨淨的，他一個人混下去好了！

可是現在不但天惠來了，惠惠也要來。他想到這兒，不由得又看看手錶，過了半小時了，怎麼？不會是惠惠變卦了吧？是天惠在焦急的等著妹妹嗎？是惠惠鬧脾氣不肯來，哥哥在說服她嗎？不會的，他們就會來了。他心裡這樣一下確定著，一下又恐懼著。自從天惠來到他的身邊，他的情感倒變得脆弱了。他知道，他說要向天惠補償，毋寧說他要依賴天惠，感情的依賴。

和天惠交往的一年多裡，他的生活充滿了希望和安全。天惠愛吃這家館子的辣子雞、生啤酒。天惠是個喜歡一點點刺激的熱情的男子，很有點像他；但天惠是堅決的——得自文英那兒的性格。他沒有，他可以說完全沒有。他的本質中充滿了懦弱的蟲！

事實上，這一年多來，天惠很少提到文英和惠惠，以及那個人。他也不敢問起她們母女，尤其是惠惠。他疑心女孩子會傾向於母親那面的，惠惠會因爲文英的遭遇而同情母親，看不起父親，文英說不定對女兒常常數落沒出息的爸爸呢！他想起來就有點兒傷心，但是隨著天惠的笑容，他也就忘了。他憑什麼要貪圖那麼多呢？他幾時又疼過惠惠？說實話，他是比較疼兒子的，也許天惠還記得這些，所以才難忘於他？祇要有一個天惠不至於失去的話，他也就夠了。如果惠惠也眞的來了，那是給他意外的驚喜，是他所不敢奢求的。

他遇見文英，文英就是像惠惠現在的年紀，正讀到大一的時候，文英的鼻尖有些翹，但很俏麗，充滿了自信與堅決。他追求她，夠無賴的，她剛進大學讀一年，就和他結婚了，放棄了學業。只有嫁給他這一點，她失去了自信和堅決，戀愛是盲目的，一點也不錯。

惠惠長成了，是文英的樣子嗎？有那樣俏麗而自信的鼻尖嗎？有多高？有現在前面進來的少女那麼高嗎？前面的少女？是的，前面的少女。她是多麼嬌媚，微紅的兩頰、俏麗的鼻尖，陪同她進來的是一個青年，唉！他的眼睛昏花了，那青年就是——就是天惠嘛，那少女是——也就是惠惠！

他有點手足無措，拿起桌上的菸，又放下，他站起身來，走到門邊去迎接他們。他希望劉頭兒讓開路，唉，用不著那麼屈躬卑下的帶領著他們。他們會看見這裡的，惠惠會看見這裡的，會看見爸爸的。

惠惠

哥哥眞是個壞東西，他跟爸爸竟是平起平坐的，我今天才知道。他怎麼跟爸爸混得這麼熟的？那樣子簡直要稱兄道弟了！

剛一見到爸爸，哥哥還有點拘束，爸爸也是，那也許是因爲我的關係。但隨後哥哥就放肆起來了，他和爸爸，生啤酒一大杯一大杯的灌下去，然後，哥哥的眼睛紅了，一直紅到脖子根、胸口、手背，都是紅的。爸爸就指點著哥哥，十分親愛的說：

「這小子，酒量是越來越大了。」

沒有一點點責備的意思。

哥哥呢，做出瞪眼癟嘴傻笑狀，大概他也許眞有些醉意了。我說：

「別喝了，哥。」

爸爸安慰我說：

「沒關係，惠惠，啤酒是發散的，所以，喝了臉會紅得特別快，喝酒發散才好哪！」

但是爸爸的臉爲什麼不紅呢？難道他的酒量大？他要喝多少才會臉紅？他是喝

了多少酒才跟媽媽離婚的？

這一頓飯從正午十二點吃到兩點多才結束，大家要走了，站起來時，我又看著哥哥，我沒有別的意思，我的眼神只是在詢求哥的意見，我們是不是就向爸爸告別了？或者還有什麼節目？比如走走公園，看看電影，甚至於到爸爸的住處去看看什麼的。但是哥哥誤會了我的意思，他斜頭傻笑說：

「怎麼樣，寫信報告媽說我跟誰學會喝酒了？」

「那可沒準兒！」我也不甘示弱。

眞的，我如果眞的告訴媽說，哥哥在台中念了兩年森林系，沒學會種樹，可學會喝酒了，喝得渾身像烹大蝦，通紅通紅的。媽知道準要急死了，當然我是不會告訴她的。但是我確實該給媽寫信了。一到台中是哥哥先寫了封信，報告我平安抵達正在辦理註冊住宿的事情。

是星期四來的，星期五，星期六，今天是星期日，四天了，該寫一封長長的、詳細的信給媽媽，好讓她在臨睡前慢慢地一遍遍的看，像每次看哥哥的信一樣的享受著。

拿出這本薄翼般的航空信紙來。

媽：

怎麼接下去寫呢？

我沒有離開過媽，哥在沒來台中入學以前，也沒離開過她。記得當哥哥初來台中時，媽擔心得什麼似的，臨走時囑咐他不要騎車，不許他打太多的球，讓他到八卦山去實習時，要留心樹林裡的蛇，哥哥不像是在聽媽媽講話，倒像是聽一個小孩子說話，他笑著說：

「死不了，您放心吧！哪兒就輪到該上八卦山實習啦！您給排的課呀！」

現在輪到我了，又是到台中來進大學，這也是再巧不過的事。媽雖然習慣了哥哥兩年來在外面獨自的生活，但是當她知道我也將在大度山上度過四年大學生活時，確實是很捨不得的，她在言語中也很希望我放棄保送再報名聯考。我不是也很想放棄的嗎？也是爲了捨不得媽媽的呀！但是哥哥力勸和自己懶得再準備功課，就一狠心決定到台中來了。

這時卻想念媽媽了。眞想念。她在做什麼呢？和爹爹在院裡乘涼聊天嗎？爹爹是不怎麼講話的，每天晚上我和媽媽在絮絮叨叨地談，爹爹就在屋裡看他的工程書——一個嚴肅而負責的人，熱心公務，與人無爭，在工作上、爲人上，是得到褒獎和讚揚的人，但是卻不能贏得他繼子的親近。

哥哥說過不止一次了，「總覺得他缺欠點什麼，你說是嗎？惠惠。」

也許我們不應該太苛求一個並不是親生我們的父親，哥哥的這種感覺如果無節制的流露出來，那對於媽媽總不是一件頂好的事情，我不願這樣，所以我說：

「哥，不要這麼說好不好？他並不缺欠什麼，而是我們缺欠了什麼……」

「我們缺欠什麼？」哥哥急了。

「哥，我們不過是身體缺欠了他的血，所以哥你才……哥，有些事要客觀的想一想……」我雖然這麼說，但是哽住了。

我知道，我們都敬愛母親，但是心情在某些時候是很寂寞的，徬徨的，尤其是哥哥。他是一個男孩子，在家裡卻沒有給他鼓勵、給他快樂和跟他親熱的男性。看他今天和爸爸的情形是多麼的不同，那樣放任，那樣豁達，那樣快樂。在台北我們家裡，我從沒見他這麼開心過！

爸爸現在是快樂的、健康的、安全的，我應當寫信告訴媽媽，我的見證，可以使媽媽得到安心，知道她的兒子兩年來在外面的生活是不必擔憂的。但是我應當怎麼告訴媽呢？

我先這樣寫：

哥哥在我到台中那天，已經寫信報告您了，我很好，您別惦記。一切入校手續都辦好了，也搬進了女生宿舍。林姨介紹牧師辦公室的呂小姐，也見到了，她像林姨一樣，說著清脆悅耳的北平話，和藹的照顧我，問我需要什麼。其實媽您知道，我不需要什麼，只是想您。我希望我的思家病，很快地好起來，能像哥哥一樣的過著快樂的日子。快樂時日子會縮短的，四年就不至於有煎熬的感覺了。媽您說是不是？

大度山的風大，我剛來三天，還不大覺得，也因為還沒上課，整天都和哥哥在台中玩的關係。今天中午和哥哥到一家小館子吃螃蟹，哥哥學會了喝酒，他好開心，您猜我們在小館子裡和誰在一起吃飯？……

眞的要這樣寫下去嗎？再想想，妥當嗎？哥哥中午曾說「怎麼樣，寫信告訴媽我跟誰學會了喝酒吧」是什麼意思？或許他眞有意要由我來透露給媽媽，我們和爸爸會見的事。哥哥已經找到爸爸一年多了，到了今天還沒有告訴過媽媽，大概哥哥也很想向媽媽表露出來吧？這件事，總歸要媽媽知道的。那麼是由我來說嗎？我應當從何說起呢？如果我說：

我們是和我們的爸在一起吃午飯的呀！

「我們的爸」，這樣的口氣是會刺傷母親的心啊！她會想：孩子們怎麼親熱得和「他們的爸」在一起了？噢，原來他們還是傾向於他們的親爸爸，對於他們的繼父是一點情感也沒有，說「我們的爸」，不就等於否認公翰是他們的父親了嗎？公翰白疼他們了！……然後她會背著爹爹暗暗的流淚了。眞是的，我不要刺傷她，不要爲了我們有兩個父親而刺傷她，使她難堪。唉！難堪的到底是誰呢？應該是我們兄妹倆，有兩個父親的孩子！一個叫做「爸」，另一個叫做「爹」，眞是的！

爹和爸是不同的兩個人。是媽媽所恨和所愛的男人。但是有一點無可否認，無論是恨或愛，都是爲了我們兄妹倆。爲了「爸爸」不能善待我們，她更恨他：爲了「爹爹」能夠收容我們，她更愛他。我們怎麼能使媽媽灰心呢！或許我可以這麼寫：

我們是和一個曾經是您的丈夫的男人吃午飯的呀！

這未免又有點玩笑性質了，似乎良知上有點兒對不起爸，彷彿撇開了我們和他的關係，祇把他列入媽媽的關係上去了。我眞奇怪，一個女人怎麼能夠下決心離開和她生過兩個孩子的丈夫呢？——我不是怪罪媽，我知道，爸爸嚴重地傷害了媽，媽才下了最後的決心，我們都知道，一切媽的親友也都知道，沒有人會不原諒媽媽的再嫁。祇是我自己想不出而已，大概這不是沒有婚姻經驗的人所能了解的。

媽媽很少提起爸爸，她祇向我們提起過兩次。

第一次是在媽媽再嫁的前夕，那年我十歲，對了，整十歲，還在高雄念小學呢。媽媽在收拾小箱子，她第二天要去台北，把我和哥叫到身邊來：

「媽明天要到台北一趟。」

她向我們說，我們沒搭腔，因爲關於媽要和一位袁先生結婚的事情，表姨已經向我們說過了。現在她說要去台北，我們已經可以感覺到她是去做什麼。媽又問：

「知道我到台北做什麼去嗎？」

我們又沒搭腔，既不說知道，也不說不知道。當時只覺得滋味兒不對，說不出的滋味兒，喉嚨窒息住了，有東西塞住了。

她見我們不說話，向我們微微笑一下，又說：

「媽媽是去和那位袁伯伯結婚，嗯——天惠、惠惠，要說你們小，可也懂事了，跟爸爸過的日子，你們還記得吧？他那麼沒出息，喝酒、抽菸、賭錢，說一句都不可以，惠惠，記得你爸爸揪住我的頭髮的一天吧？」

我點點頭。我當然記得，我爲那凶暴的場面嚇哭了，怎麼不記得。媽又說：

「誰願意離婚呢？誰又願意再結婚呢？可是媽不得不這麼做，你們倆多多少少也明白吧？明白嗎？明白媽的意思嗎？」

媽這樣緊逼著問我們，眼裡含著淚，我們不能再不搭腔了，但是我和哥哥確實仍是沒有說話。喉嚨堵住了，還是那原因。但是哥哥呆呆地點了點頭，表示知道了，承認了，同意了。

然後哥哥終於迸出了一句話：

「您還回來不？」

「怎麼不回來？」媽笑了，「我在台北安頓好了，就來接你們。」

「到台北上中學？」這是哥最關心的自身之事。

「是的，台北的中學難考，可是好。」媽說。也許是台北的中學誘引了哥哥的夢想，對於媽媽再嫁的重要，就被台北的中學之夢給沖淡了，哥是用功的學生。

第二次提起爸，是在哥念高三的時候。為了哥要買一副釣魚竿，而「爹」買回來的卻是一本韋氏大字典，他認為哥讀高三了，不宜去釣魚浪費時間，好好地念書，英文尤其要努力進修。媽媽要哥去謝謝「爹」，哥卻不知哪兒來的脾氣，把大字典向桌上一推，就向外走，媽把哥叫住了，含著淚苦笑著說：

「天惠！你不是孩子了，要明白，我離婚、結婚都是為了你們兄妹倆，記得你那沒出息爸爸吧？我可不願意你學他。爹爹對你是惡意嗎？為什麼……」

爸和爹，分別是這麼清楚，但是哥不要聽，他雖然停住了一下，但還是掉頭而去。

屋裡留下了媽和我。媽媽輕輕地歎了口氣，對我說：

「也許你哥哥是男孩子，他不容易了解母性和女性，你或者能比他明白。」

我沒有說什麼，除了心疼媽，我有什麼可說的呢！可是等到黃昏哥哥回來，卻滿臉堆了笑的走到「爹」的屋子裡，我聽他跟「爹」說：

「這本韋氏大字典正合我用，太好了，您多少錢買的？」

這了一會兒他出來了，若無其事地又對媽說：

「媽，碰見劉阿姨了，她請您晚上沒事到她家聊天兒去呢！」

媽很高興，「爹」也開心，晚飯桌上氣氛融洽。但是我偷眼望哥哥，我覺得他老了十年，他祇出去兩小時，回過頭來怎麼就老了十年呢？他這兩小時到哪兒去了？是到淡水河邊那個釣魚的老地方發呆去了嗎？望著河水尋思了兩小時，找到了答案？終於回來向爹爹致謝，向媽媽賠笑臉？他老了，哥老了，媽說得對，他不是孩子了。

但是我躺在床上的時候，卻哭了，我哭哥哥老了，我哭我們都不是孩子了，應當孝順爹爹，體貼媽媽。

果然自此以後，哥哥變得更乖巧了，他那樣和顏悅色的招呼「爹」，贏得了媽媽更開朗的笑容。但是誰知道哥卻在台中上大學時，在茫茫人海中，找尋到六年不見的爸爸呢！

哥這回可有魚釣了，中午爸不是還約他到什麼地方去釣魚嗎？釣魚竿子也買到手了吧？這個哥哥，眞的是！他學了森林，可不上山種樹，卻跑到河邊上去釣魚。和一個白髮蒼蒼、聲音沙啞的老頭兒。眞的，爸爲什麼這麼老？他不是才比媽大四歲、五歲嗎？

十歲的記憶中的爸爸，是一個西裝筆挺的中年男人，他那時留了一撮鬍髭，是爲了漂亮；現在他也有鬍子，麻麻渣渣的，是一種生活缺乏了家人照料的不整潔的鬍髭。爸的頭髮也白了八成，而且，我不記得他是個沙啞嗓門的人，他和媽媽吵架的聲音不是還把我嚇醒了嗎？

我們今天沒有講分別後的日子，我們完全講的是快樂這方面的，關於他和我們分別後的情形，他已經和哥哥講過很多了。

哥哥說，爸在和媽離婚後的一兩年，仍沉湎於酒和賭博，直到他有一次得了急性盲腸炎開刀住醫院，體力感到未曾有過的衰弱，生活感到未曾有過的貧乏。從那時，肚子上的一刀，不但割去了他的盲腸，也割去了他的盲目。他這才清醒過來，撫著創傷的身體和心情，投向新的生活。但是那時媽已經又結婚兩年了。就這麼，爸一個人默默地生活著，直到哥哥找到他。

媽是恨爸的，她從來都不提他，一心一意守著「爹」過日子，就彷彿她從沒有過過去的那一段。媽媽的堅強和毅力，絕不是我所能做到的。也許一個女人，有過婚姻經驗的，和沒有經驗的，不同的地方就在這裡？男人可以使女人堅強起來，也可以使女人軟弱下去，婚姻眞是一件奇妙的事情啊！

但是，媽媽如果知道他們父子的重逢，也使兩個人都重新找到生活，將做何感想？看哥哥是多麼傾心我們的爸！還記得哥的信上說：

……對於家庭，他是有虧職責的，但他是爸爸，我們不能原諒他嗎？我們的身體裡都流著他的血！……媽媽和他離婚並沒有錯誤，他不是個好丈夫，起碼對於當時的情形來講，但也因為媽離開了他，才促使他重新做人……當爸在許多次來來回回講著這些時，他都表示愧對媽，也感激媽。他看來比實際的年齡大，由於酗酒，手總是有些發抖，但他是一個多麼富於風趣的人！他應當是一個藝術家的，「家」困住了他，所以他就變得那樣了，他就是這麼個性格、這麼個人，但他是我們的爸。……

「我們的爸」，對於哥哥是這樣一件重要的事。但是，眞糟糕！哥哥的幾封信我都沒有帶來，留在台北家裡的小箱子裡，鑰匙也交給媽了，她一打開來就會看見那些信的。媽會打開嗎？

唉！眞是，這個壞哥哥，他想由我來向媽媽透露這些事嗎？我到底應當怎麼寫呢？我也不要寫。如果媽媽眞的看見了哥給我的那幾封信，就由它去好了，既不是我告訴媽，也不算哥告訴媽的，都沒有責任，也好。

那麼我來把這信紙撕掉，重新寫。我豈不是可以這麼接著寫：

……您猜我們在小館子裡是和誰在一起吃飯？原來哥哥在台中交了一位老朋友，他頭髮都白了，聲音是沙啞的，但卻是一個很有風趣的老人，是一位不事生產的藝術家，和哥哥做了釣魚的朋友。他請我們吃螃蟹，有點兒酒量，哥哥也和他抵兩口。他端起杯子來，手發抖，他說是酒害了他，但是淺酌卻滋味無窮，當他知道這個道理時，為時已晚。但看樣子，哥哥卻能使這個傷心的老人得到些許安慰，他們很談得來。……

啊，這樣夠了，夠了！不能再寫下去了，文字總是要含蓄的，也像酒一樣，淺酌最好。

晚晴

一

天暗下來了，遠處傳來隆隆的雷聲，暴雨終歸要下一場的，天氣本來也太悶了。但是大家擔心的是他們的主客姚亞德，爲什麼這時候還沒來？不要等下被暴雨阻在什麼地方。

這是李處長的家。大家都在客廳裡談話，等待著最後最重要的客人，茶房進來問，現在要不要就開飯，李處長擺擺手說：

「別忙，主客還沒來。」

大家也都看著天色懷疑的問：

「姚主祕今天怎麼啦，像一座鐘那麼準確的人，竟也有走慢了的一天。」

他們習慣稱姚亞德作姚主祕，因爲他是這機構的主任祕書，不，他曾經是主任祕書，現在卻調到保管委員會做主任委員去了。是個閒差事。大家都說好好先生姚亞德是到保管委員會被冷藏起來了，因爲他剛剛是在前年換局長時調開的，錯覺的謠言就隨之而起了。其實他和新局長是同學，而且把他調開也是在新局長到任前三個月的事，和這件事本是毫不相干的。不過，當時人們對於他忽然請調，感到很突然就是了。

雷聲近了，像是從宇宙的那一邊滾滾而來，到了這邊所發出的聲音，好像憤怒得要把這邊的天空劈開來。跟著，雨就從那劈裂開的天空傾落下來，姚亞德也在大雨中進了門。

姚亞德向在座的人道歉。他是昨天從台中來的，他離開台北有一年多了，老同事中多半一直就沒有再見到過他，所以都趨向前來，和他熱烈的握手。他們發現他瘦了些，老了些，但在人情之常是不便說的，所以大家反而笑著說：

「姚主祕?你還是那樣，沒有變。」

「沒有變?」姚亞德和善地笑了，摸摸自己的嘴巴，「人總是要變的。」

「喏，」姚亞德又指著站在面前曾是他部下裡最年輕的一個說，「巴文，一年不見，結婚了，騷鬍子也留起來了!」

巴文笑了，雖然蓄了兩撇克拉克．蓋博式的小鬍子，但仍掩飾不住他的青春氣息，留鬍子倒像是一種小孩子淘氣的行爲。在姚亞德沒有離開台北前，巴文還沒有結婚，他們是同住在一個單身宿舍裡的。他很喜歡巴文，常常和他閒談、下棋、散步。巴文是北方人，他不說「閒談」或「聊天」，總是用那北方人可愛的粗獷口氣說：

「找咱們主祕聊大天兒去！」

在姚亞德沒有來以前，李處長就跟大家閒談說，姚亞德比一年前在台北似乎精神差一些，想想看，精神怎麼能不差呢？得到太太死在大陸上的確實消息，唯一的女兒才十五歲，不知下落。不過現在可好了，女兒已經有了消息，而且可以設法逃離大陸到台灣來團聚，這是一件事；另外一件事是李處長太太正要給姚亞德介紹一位女朋友，說不定可以成功，因爲一直不肯答應再結婚的姚亞德，已經被李處長太太說服了，這是李氏夫婦引爲得意的事。而且說，姚亞德此番北上，說是爲了保管委員會公出，那才瞎扯呢！相親才是正事。

聽了李處長的話，人人的腦子裡就浮現了對於姚亞德想法不同的影像，他們想，在這兩種不同的情緒下——太太死在大陸的打擊和即可能再結婚的興趣，到底使姚亞德變成什麼樣子了呢？

當他們發現走進來的姚主祕確是老了些、瘦了些，也就祇好說他「沒有變」了！但是姚亞德卻一定要說「人總是要變的」。

這時李太太也從內室出來了，姚亞德和李太太的哥哥是要好的同學，所以，他和李太太有時也開玩笑的：

「呀！越來越年輕了！」

李太太很愛聽，但是她也回敬了一句：

「你當然要奉承我呀，因爲……」她轉過臉問大家，「你們知道不知道我要給你們主祕大人介紹女朋友？」

姚亞德倒不好意思起來了，他連連的說：

「別在小弟弟們的面前隨便講啊！」他又對大家說，「眞正沒有變的是李太太，她總是使人想到她念中學時的那個樣子。」

這樣打岔過去了，李處長也在餐廳那邊喊請他們入席。

酒席是夠豐富的，台北的館子也有風氣，今年是湖南館子正當時，大盤大碗大筷子，大氣派，一桌席的價錢也大有可觀。但是他們知道姚亞德沒有什麼嗜好，規規矩矩的君子，只是喜歡吃吃館子喝點酒，還有一壺好茶。今天是叫的天長樓的菜，最當時的湖南菜裡最當時的館子。

姚亞德的情緒好像不壞，大家的酒量和食慾也都很好，儘管外面是傾盆大雨，餐廳裡還是蠻熱鬧的，姚亞德喝了酒，話題也多些，端起酒杯，他感慨地說，四川的茅台、北平的蓮花白，就不必談了，在眼前，倒不如研究公賣局的紹興酒或者黑啤酒。他的臉稍稍的紅了，散發著光，看起來比初進門時好多了，好像又恢復到一年多以前住在單身宿舍時的樣子。

在一般年輕職員的心目中，姚亞德是一個最平易近人的上司，他有兄長般的和善，又能和青年人談他們所喜歡的話題，這也許是和他在台灣一直獨身而且又和一群年輕小伙子同住單身宿舍的關係吧！他雖然打不動籃球了，但是乒乓球或羽毛球卻也能玩玩，不像其他年長的上司，家和官階像一條溝渠，隔離開上司和部屬。

在這一點上，巴文的感覺尤其深，他敬姚亞德的酒，望著對面這位老上司兼兄長，不由得發了一下愣，腦子裡忽然想到一件不該想的事情上去了：黃昏的散步，巷口外的小女孩，姚亞德的囈語……但很快的，巴文搖晃了一下自己的頭，是要把所想的事從腦子裡甩掉。他再舉起杯子來敬李處長。

李處長放下了酒杯，忽然看看房頂說：

「亞德，你記得這房子原來的樣子嗎？」

姚亞德抬起頭四處望望，感慨地說：「在所有的變化中，它的變化恐怕是最大的了！」

「你看這間屋子原來是……」李處長要姚亞德回答。

「它——它好像也是我們那時的會客室，不是嗎？」姚亞德索性從酒席中站起身來，這時大家都已經吃好了，退到客廳裡來。順便的，李處長領著姚亞德和巴文等人到各房間看看，因爲他們都曾經是這幢房子裡的居住人，那時這裡是單身宿舍，單身的陸續結了婚搬出去，姚亞德又調到台中去，單身宿舍冷落了，後來便大事修建一番，改成李處長的公館。

這時雨已經停了，遠處的天空有一道虹，院中花草上的雨珠還在滴落，鋪了水泥小徑的兩旁是草坪，被雨水洗過了，眞青，眞綠。他們都陸續的走向院子裡來看天上的虹，看草上的水。不再悶熱了，喝了酒的男人們也需要散發散發酒氣。

李處長指著草坪右面的房間對姚亞德說：

「亞德，你的房間，你猜我現在做什麼？」

「做堆房。」姚亞德隨便地說，因爲那不是最好的房間，當初他只是喜歡它坐落在右角上，可以和那些小伙子們離開些，免得那些年輕人的高談闊論影響他讀書時的安靜。

「那裡，」李處長也有一股孩子氣，「那是我自己的小房間，連太太都不許進去。」後一句是用手摀著嘴小聲說的。

「你在裡面幹什麼呀？」姚亞德也彷彿含著壞笑地問。

「光膀子、抽雪茄、看書，寫他媽的報告，都在你那小屋子裡。亞德，我現在才明白你爲什麼當初就喜歡這麼一間小屋子，敢情是眞有意思！它的位置是隱藏的，使我受不到『家』的騷擾。」李處長也是北方人，粗聲大氣和巴文是一類型的，他雖然居留國外多年，但還是喜歡說兩句帶髒字眼兒的中國話。

「家的騷擾？」姚亞德聽了微微地笑了，提到家，他有一點感觸，一個不相干的聯想，在他腦海裡晃了一下。

「家庭中的單身漢房間！」李處長又注釋了一句。

「那房間的確不錯，」姚亞德走向他的舊居去。窗子已經換了草綠色的尼龍網，他想說，坐在窗旁的藤躺椅上，看窗外相思樹葉的搖擺是一件高興的事，但是他發現窗前的那棵小相思樹沒有了，鋪上了草坪，靠窗兩邊的牆下種植了美人蕉，淡雅的情調沒有了，換上了濃裝。他知道美人蕉是繁生的，它能在不久的時間，就密密麻麻的長滿了牆邊。但他還是對現在的主人說了：

「還有幾隻會叫的壁虎，不知道每天陪著你不？」

「這倒沒注意。」

姚亞德心想，你畢竟還是沒嘗過寂寞的生活，所以你不懂得觀察壁虎的心情。

年輕的一群回到客廳去了，他們在準備打橋牌，巴文要姚亞德加入，說還是和他老搭擋，但是姚亞德拒絕了。他畢竟不是一年前的他了，他說得並不錯，人總是會變的，看，他竟變得對橋牌毫不關心了。

看年輕的一群上了陣，他也向主人告辭，李處長夫婦還要留他多坐一坐，不打橋牌，看一看也可以的呀！但是他推說還要去看幾位朋友，並且向李太太笑笑說：

「明天不是還要見面嗎？」

明天，是指李太太介紹小姐跟他見面的日子。李太太一聽也就放了他，並且囑咐他明天要早到，要等小姐，不要被小姐等。

走到玄關的地方，他坐下來穿鞋，看見下面橫七豎八擺著幾雙年輕人的皮鞋，他在其中找出了自己的，聽見李太太的囑咐，他呆了一下，好像那不是對他說的，而是向其中一個青年人說的。「等小姐」，對於他是怎樣陌生的一件事啊！如果這是對他說的，他希望屋裡的年輕人都沒聽見，難爲情極了！

未來的安排，也不知道會到什麼地步？對於李氏夫婦的熱心，他是由衷地感激，這總表示人們是這樣關懷他。但他對於介紹小姐這件事，到底有沒有興趣呢？他問自己。自從李太太提議以來，他一直認爲那是一件不頂眞實的事情，直到現在，聽了李太太的囑咐，他才意識到這確不是開玩笑的事了，因爲「要等小姐，不要被小姐等」說明了它的重要。

他穿好皮鞋，輕跺了跺腳，這是毛病，一方面是要使腳擺正在鞋裡面，一方面也是有跺去塵土的意思。然後他仰起臉來對李太太笑說：

「遵命！」

他知道女太太們給男人做媒的脾氣，她們比要找太太的人還熱心，還急切，勢在必成的心理很重。爲了做媒，鬧得不歡的事情也很多，這也許是中國特有的情形，男女社交的生活一直不能明朗起來，所以還殘存著「做媒」的習慣，半新不舊的方式，常常就弄得尷尬和矛盾。希望李太太不要對他太急切了，失望的結果是難免的啊！

他也曾想過，到底他是不是很想結婚成家？想的，一年以前就爲了對家庭生活起了莫名的熱望，才開始設法和香港的親戚聯絡，千方百計的向大陸探尋妻女的下落。他的良心很受譴責，如果不是爲了心心這小女孩，以及心心的媽媽，他也許到現在還不知道妻的死，和女兒秋美的現狀。

啊！心心！心心的媽媽！姚亞德的眼前浮現了這小母女倆的身影，媽媽抱著心心，心心左手的食指含在嘴裡，右手在向他招擺，然後媽媽扳過心心的小臉，向她的小嘴親吻著，梔子花的香味從巷子的那一頭傳過來，香極了，心心的小嘴巴香極了，媽媽的親吻香極了，他的心頭也有一縷游絲在浮動，使他因了這一幅動人的圖畫而產生了一種錯覺，腳步常常隨著他的錯覺走向巷子的那頭去。

是啊！現在他的腳步竟又下意識地走向這條巷子來了。剛才在李處長家，他爲什麼要早早告辭出來？他並沒有像對主人所說的理由，要去看幾個朋友，他並沒有看朋友的習慣，祇有散步的習慣。也許剛才飯後在庭院裡看景色，使他在無意中恢復到一年多以前在台北的習慣，飯後在院子裡走動走動，然後就走出了單身宿舍的大門，在涼爽的黃昏裡，隨便走走，但他最後終於選擇了向右面的小巷穿出去，再轉到大街上，從左面的巷子向回走，原因是巷子頭上的一家，有個名叫心心的小女孩，引起了他的興趣。

二

第一次看見心心，是三年前的事了。那天姚亞德照例在單身宿舍吃晚飯。公家的飯是五點半就擺上桌的，幾乎是在下班乘交通車一回到宿舍，脫下汗濕的衣服，還來不及洗一把臉，就該吃晚飯了。

晚飯後離睡覺還早得很呢！小伙子們一個個都打扮齊整的出去了，看電影或者和女朋友約會。姚亞德常常想，年輕人雖然常常把不滿現實掛在嘴邊，可是實際的生活卻也過得蠻起勁的。

姚亞德是個生活極有規律的人，他吃完飯先回到自己屋裡來，男工已經給他打好了洗臉水。他洗臉還一直保持著一種自己的方式，就是把肥皂抹在手掌上，然後再把臉埋在手掌裡，淅瀝呼嚕的大洗一陣。這種方式還是小時候學從北方來的馬車夫趙頭兒的樣子，當時是小孩子淘氣好玩，誰知就成了一生的生活習慣呢！

他換了衣服，屋裡點好一盤蚊香。然後走出來，把門倒關上，手裡拿著一本要看的書，這一下子就要等到幾乎三小時以後才進屋了。

整幢宿舍的單身漢差不多都走空了，恐怕連唱山西梆子的廚子老劉都沒影兒了呢！他知道祇有男工老陳是不會出去的，因爲老陳和他一樣，年紀比較大一些，不太喜歡動。常常是這樣，他在自己屋外相思樹旁的躺椅上看書，喝熱茶，老陳呢，就在這院子的另一個角落呆坐著。他不識字，沒法子看書，只有窸窸窣窣的修理著椅子呀，縫補著自己的衣服呀。老陳是個沉默不太和先生們講閒話的人，只有他的鄉親來看他時，才有些話說。亞德希望常常有鄉親來找老陳才好，他覺得老陳太寂寞了，是一個老好人，從不埋怨目前的生活，看不出他的喜怒和哀樂。這是不可能的事，一個從來沒有離開家鄉而且已經有了家室的人，在安定的生活中忽然家鄉捲入紅色的風暴，不得不棄家離鄉，到從來也不知道的這個海島來獨自生活著，日子長，能不寂寞嗎？何況老陳又是一個那樣內向的人。亞德所以希望老陳的鄉親常常來找他，也是基於一種同樣是家丟棄在大陸的同情心。

姚亞德習慣的把自己投進藤躺椅上，扭了扭身子，安排好一個最合適的姿勢，然後拿起書來。這一刹那間，在眼睛還沒有接觸到書本上的文字之前的這一刹那，是亞德感官中最快樂的，因爲馬上就可以享受到他喜愛的作家的作品了。老陳是不是會有懷鄉病，剛才飯桌上那些不合口味的飯菜，今天辦公室中風傳的那些變動，統統拋到腦後去了。他要感謝祖父和父親在他幼年時督促他讀書的好習慣，像宿舍這些自小就流浪的青年，就可惜沒有機會得到他們父親那一代讀書人的傳統習慣，時間在橋牌和泡女朋友裡，不知浪費了多少！結果是女朋友交了一打也撈不上一個太太。亞德今天的思維有些游離，拿起書來，腦子裡不由得聯想了這些不相干的事上去了。他趕緊把書本打開。

昨天他在這本書上摺了一個痕跡，喏，就是這裡；他再接著讀下去，作者在講「罪」……

……在做人的一方面，正有許多罪常是難以發覺。我自己是個糊塗人，未曾知道做丈夫的道理，就有了妻子，未曾研究過兒童，就有了孩子。施樸克醫生說過，不要對小孩子說「不許弄」，最好把危險的東西移開，或者哄開小孩。我看到那句的時候，我的大孩子已經和我差不多高了。我現在發現他對弟弟妹妹過分嚴厲，就不免責備自己，知道這全是我對他說「不許」說得太多的結果。

我結婚已經二十年，到現在不知道給妻子買化妝品等，我的妻子又忙，又一心照應孩子，所以有時要出外應酬，不是鞋子沒有，就是少了大衣。我原不是個從來不給她買衣料的，可是買過一兩次貴的回來，給她怪了幾天，知道我做這件事不中用，所以就不買了。最近有一位朋友告訴我，即使挨罵，也要買，因為太太雖然罵，心裡還是喜歡的。這時我才如夢初覺，已經錯了將近二十年了。……

姚亞德看到這裡，不由得閤上了書，放在膝頭上，仰起臉來呆呆的望著對面人家那株聳入高空在搖擺的椰子樹，他的腦子不能集中在書上，而在想著什麼，想得太遠了；他忽然想起爲什麼自從民國三十九年或者四十年吧，他寄去一封信以後，就不再接到淑貞的來信了呢？從此音訊斷絕，已經七、八年過去了。算一算吧，他是民國二十八年和淑貞在上海結婚的，婚後不久他就把淑貞送回娘家，自己跑到抗戰的內地去，在昆明一住就是五年。勝利前夕回到家園，是安排地下工作，把淑貞接到上海。轉過年來勝利了，淑貞也生下了他們的第一個女兒秋美。但是誰想到寧靜的日子沒有過幾年，他就又匆匆離開上海到台灣來呢！算起來，和淑貞結婚也差不多二十年了，但是團聚的日子連四分之一的五年都沒有！他有罪嗎？像這位作者所說的？人家連買件衣服的事，都深具內疚，覺得對不起太太，他呢？他應該怎麼說呢？

亞德覺得今天自己很特別，爲什麼總想些難得想到的事，而且給自己不斷地加些罪。也許是昨夜沒有睡好，帳子裡有一隻蚊子都不行，還有昨夜年輕的一群不知犯了什麼毛病，橋牌打到一點還不睡，木拖板在榻榻米改裝的地板上拖來拖去，都是使他不能安眠的原因。睡眠不足，精神就不濟，他畢竟不能和那些小伙子比。

今夜要好好地補足了覺，提早出去散步吧。他站起來，把書本扔在躺椅上，便漫步走出宿舍。

老陳正在門口乘涼，果然他的老鄉又來了兩個，蹲在牆角和老陳談著。姚亞德看見覺得很安心，他一直是願意有人來找老陳的。他又想，也許他的同情是多餘的，祇是給自己心理上不安的一個掩飾罷！

有一陣微風吹過來，香香的；他嗅了嗅鼻子，聞聞，眞香，是梔子花。這裡有梔子花嗎？他向左右人家的牆頭找，六片花瓣排成迴旋狀，白色的花朵帶著黃暈，李笠翁《閒情偶寄》說所以喜歡它，是因爲它彷彿玉蘭，「惜其樹小而不能出簷，如能出簷，即以之權當玉蘭，而補三春恨事，誰曰不可！」亞德對於李笠翁的說法，卻不以爲然呢！梔子花的香氣和玉蘭並不同，玉蘭花聞久了是臭的，梔子卻不。

亞德一邊聞著想著找梔子花，便不由得腳步向右面走下去，這和他每天到街上散步的習慣不同了，他每天是因爲宿舍裡太單調，想要到大街上走走，可以使他的心胸開闊一下，容納一些世間眾生相，以供他無事時談話或者閒想的資料。但是今天他竟走入右面的小巷中追尋偶然聞到的梔子花香來了。小說中果然有一個人家的梔子花樹探出牆頭來，誰說梔子花樹小不能出簷呢？這種在台灣的日式小屋，低簷矮垣，絕不是李笠翁時代所指的那麼高了。這條小巷，他難得走過，不知道前面出口通到哪裡？應當和他每天走的路不至背道而行吧？他還預備在街上轉角那家水果攤買個木瓜回去的。

亞德在有梔子花的人家牆外，慢慢地走著，爲的是多聞一會兒花的味道。這時他看見前面離巷口不遠的地方，站著一個嬌小身材的女人，抱著一個小女孩，背向著他，孩子的面孔卻正對著他，小手指頭含在嘴裡，不懂得認生，另一隻手竟向亞德招手哪！亞德笑了，他覺得很有趣，不由得腳步加快了些。小女人扳過小孩子的臉，紅嘴唇吻向小女孩的嘴巴，並且緊緊地抱著孩子的頸。那個印在小女孩臉上的親吻，比梔子的花味還香，亞德看呆了，有一種奇異的感覺，黃昏的色彩是濃郁的，也許是這濃而暗的光暈，籠罩在這女人和小孩的周遭，襯托得那麼不平凡，亞德的眼光始終沒有離開這目標，自己不知不覺地走到她們的面前了。

小女孩也就是剛會走路說話吧，他不知道這樣大的小孩該算是幾歲。小孩子在女人的懷中又直挺起來，直瞪著亞德，並且再一次地向他笑著。亞德覺得太有趣了，也向小女孩點點頭笑笑，完全出自內心喜悅的笑，是報答小女孩在這剎那間所給予他的愉快。

他不知道小女人是這小孩的什麼人，應該是母親，才有那樣摯愛的親吻。亞德走出了巷子，走到了大街，腦子裡還印著小女孩有趣的笑容。他在街角買了木瓜，不像每次那樣講價錢，挑毛病。買了木瓜，他很想依剛才的原路回來，但是覺得不太好意思，如果那小母女倆還在巷子裡呢？如果小女孩又向他笑了呢？他該不該停下來，送給向他笑的小朋友這個木瓜？如果是那樣的話，又算怎麼回事，想了想，他的腳步改向左面走了，按照他往日的路程，避開了那條小巷。

回到宿舍，大門已經關上，安分守己的老陳一定又會在院子裡呆坐著，爲什麼他的鄉親們不肯和他多聊一會兒呢？他很怕看老陳的寂寞的樣子。回自己的房子去，一定要經過正房中間的客廳，那是公共休息和吃飯的地方，再穿過廊子，卻聽見哪間屋子有聲音，原來是發自巴文的房間。收音機開著，在教英語會話。巴文卻坐在書桌前寫什麼。亞德在巴文的窗口停了一下，舉著木瓜說：

「要出國啦？這麼用功。學完了會話來吃木瓜。」

巴文大概沒料到有人停在他的窗前，所以連忙把手中的紙蓋住了，抬頭看見是亞德，難爲情地笑了笑，點點頭。

亞德也沒想到巴文寫的東西是不公開的，所以趕忙抱歉地笑笑向前走去，通過廊子，下到院子裡，回到自己屋前的小天地來。

過了一會兒，巴文來了。剛才在屋子裡，明明看見他是光著膀子祇穿一條褲衩的，這時卻加了一件長褲和線衣，亞德不由得指著巴文的身上說：

「何必呢，大熱天還是脫掉吧！」

亞德知道巴文是因爲在上司的面前，不便太放肆，其實有什麼關係，這個年頭兒，這個熱地方，也沒那些禮貌的講究了。也許巴文還不太明瞭他的脾氣，以爲上司平常在家裡也是整整齊齊的裝束，便不好打赤膊，但他們哪裡知道他自小在舊式大家庭的生活下，是比較拘謹的，成了習慣也就沒有辦法了，但他並不要別人尤其是屬員向他看齊，那是用不著的。

和巴文吃著木瓜，閒談著，話題扯到英語會話上去，他問巴文準備得如何了，因爲他聽說巴文要留學去的。巴文聳肩笑了笑，顯露著年輕人的純眞。

「您說是留學好，還是結婚好？」巴文搖著腿問亞德。

「哦——」這突如其來的問題，倒把亞德問住了。

亞德還來不及回答呢，第二個問題又來了：

「您說是結了婚走好，還是回來再結婚？」

「哦——」亞德又是答不出了。

是的，巴文有個女朋友，同事向巴文開玩笑他聽說過，但不詳細；也知道巴文有出國的意思，沒想到成家和立業齊集於一身，於是他說：

「我們中國有句老話，成家立業，可見得是先成家再立業，還是先結婚吧！」

「先成家再立業，您講的是我爺爺那年頭兒的美事兒啦！」巴文喊著說，「我爸爸倒是輪到了，娶了我媽，交給我奶奶，他就到日本留學去了。他不用操心我大哥生下來奶夠不夠吃，要不要兼個差賺錢買奶粉什麼的！那是大家庭制度下唯一值得我們這一代嚮往而不可得的事了！」

巴文搖著頭遺憾的樣子說了這麼一大套。亞德聽了想想果然不錯，先成家，後立業早已不合今天的潮流，想想他自己吧！二十年來兩次戰爭，使他的家庭破毀而離散，他怎麼又勸人家什麼先成家後立業哪！婚姻之事是一天天的困難了，前途和家庭，幾乎不是可以同時兼得的。

「那麼依你的意思呢？先留學？」亞德笑笑問。

「那——小姐飛了呢？」巴文做出一個很滑稽的樣子，亞德不由得哈哈的大笑了，這年輕人是朗爽的，善於解嘲，但是笑聲的後面卻隱藏著這一代青年的困難，要有多大的體魄，才能在這競爭生存的社會，獨立的把兩者都克服呢！

「所以嘛！伏爾泰藉著某篇作品曾說過這幾句話，我願意供你參考，他說：『我看盡了世界所有珍奇美麗的東西以後，覺得祇有家庭最好。我娶了一個妻子，雖然不久我便懷疑她的貞潔，但我還是覺得，這種生活比其他的都要快樂。』另一個哲學家厭世主義的叔本華，他的一生所以不幸，最根本的原因就是他拒絕了正常的生活——女人、婚姻和小孩。」亞德這樣勸解巴文，實在他自己也同意這種看法。

亞德和這個年輕人談得很投機，他發現巴文是一個活潑而快樂的青年，正在攀登人生的山坡，要給他勇氣，不要使他氣餒。

巴文很注意聽亞德說話，並且抿著嘴點頭，頗以爲然的樣子。

「我就是在寫信徵求她的意思。」巴文向亞德吐露心事，「說實在的，我是出生在北方的大家庭，因此還存在著濃厚的家庭觀念，就是您說的，成家的意念在目前似乎勝過一切。」

巴文說到這兒，停住了，心中若有所思，呆呆地望著地上一隻金綠色的甲蟲，他捏起牠來看了看，又把牠放了。

天漸漸的暗下來，蟬聲停止了，老陳來送睡前最後一次的開水，並且把飯廳的燈打開。亞德該進屋了，因爲他必須打開緊閉的門窗，蚊子已經全部熏死在屋裡了，卻要把蚊香的氣味放出去。而且他還要放下蚊帳，整理一下明天要給老太婆洗的衣襪。衣服上失落的釦子，記得是放在空的藍墨水紙盒裡，許多年來，這一切家務瑣事，都要他自己細心地處理，他慣了，但是近來卻也懶散多了。他希望明天老太婆來時最好把熨好的衣服放進壁櫥，不要隨便扔在椅子上，他不是一直准許那可靠的老太婆處理他的衣物嗎？難道她近來也懶散了？這總是女人家的事呀！

他猛一捻開燈，爬在書桌窗前玻璃上的兩隻壁虎跑開了，他打開窗，立刻一陣微風從鐵紗窗吹進來，桌燈旁有幾隻垂死的蚊蟲。

抹去桌上蚊蟲的時候，他又想起巷子裡小女孩被親吻時的那幅美麗的畫。爲什麼這麼一個到處可以看見的小女孩，會使他今晚不斷的想起呢？他猛的想起來了，啊，她不是正和自己初離開淑貞母女倆時的秋美差不多大嗎？

十年了，秋美該是個亭亭玉立的姑娘了，他想像不出自己的大女兒大到什麼程度，該是什麼樣子，在他的印象中，秋美還是個剛會走路說話的小女兒，就像小巷口的小女孩一樣。

淑貞呢？他倒頭在蚊帳裡，今天好熱，蓆是溫熱的，他把床頭的燈關閉了，在無邊的黑暗中，他輕喚著他的小妻子的名字。

二

晚飯吃得並不舒服。大概師傅老劉又在鬧情緒了。豆腐乾燒茄子、牛肉片炒不去皮的毛豆，巴文一摔筷子，卻沒敢大聲喊，祇咬著牙輕輕的說：「這是哪國的菜嘛？」

有人搭腔了，開玩笑的語氣：「這是照國宴的菜單燒的，別不知足！」

又有人說：「是在這兒，我沒脾氣了，放在十年前我在學校的大食堂裡，早連桌子都踢翻了。」

巴文衹吃了一碗飯，剩下的半袋空肚子，照例是等著過來的餛飩挑子再找補，但是他很不甘心地拍拍肚子說：

「還是結婚吧，」他又向著亞德，「姚主祕，昨兒個還是您說得對，先成家後立業，媽的，連飯都吃不好，還談什麼立業哪！」

亞德的火氣畢竟小些，他躺在藤椅上，搧著扇子，微微地笑，這又能怪誰呢？他心裡想，怪老劉嗎？他又不是廚子出身，在山西他的老家，他也是地主之子哪！看，他毫不在乎的去收盤碗啦，他也許知道先生們吃得不高興了，但是他也有倔強的個性，好像故意的，他竟以快樂的聲調唱起梆子腔來了：

「天子重英豪，文章啊啊教爾曹，萬般皆下品嗯——唯有那讀書的高啊——啊——啊——」

拉著長長尾音的來一句，很有威脅整幢宿舍的意味。生著氣的巴文不由得笑了，問老劉：

「這是哪一齣呀？大師傅。」

「秦鳳雲的〈三娘教子〉。小時候我們家的話匣子，唱片也多著哪！」

「再來一段，嗓子不錯。」

受了誇讚的老劉，嘿嘿一笑，晚飯不愉快的空氣，這樣一來，總算緩和些了。

但是亞德這時的心情卻很不安，他剛才把晚報從飯廳裡找到，在觸目驚心的一個標題「獨身老科長投環」下，竟發現死者是他所認識的一位朋友，雖然衹是沒有來往的泛泛之交，但他卻也知道一些死者的爲人。爲什麼自殺呢？新聞裡說，他在自殺前，像往日一樣的安詳，並沒有看出他要自殺的跡象來。他近來的身體雖然有些不好，但是並沒有痛苦到要命的程度。他和人沒有仇恨，工作也沒有什麼不順心，他並不窮，死後在箱子裡還存著兩百多美元。他的生活也還過得去，從窗口上擺著吃剩下的半個蘋果可以證明。他從不涉足花叢，也沒有戀愛的糾紛，那麼他爲什麼自殺呢？新聞的最後說，他有妻兒留在大陸，他是獨身在台。……

亞德看到這兒，很不舒適的站起來，這是今天晚報的頭條新聞，剛才在飯桌上，年輕的一群，並沒有談起，他們怎麼會關心到這樣一個人的自殺呢！報上天天有自殺、殺人的，算不得什麼。而那些記者呢，說這自殺是個謎，他應當沒有理由自殺。但是在不安的情緒中，亞德似乎可以觸及那自殺者的胸懷了，他著重在那條新聞中最不重要的一句話：死者妻兒留在大陸，隻身在台。

這時不知哪一個拾起亞德扔下的晚報來看，似乎也在注目這大字標題的新聞，看後感慨地說：

「有人拚了命的求生存，有人卻無緣無故的找死，我要有兩百美元，還得多活兩天，樂一樂！」

亞德聽了很不順耳，懶得搭腔，穿上香港衫向外走去，巴文問：

「您出去？」

「走走。」他漫不經心地回答。

出了門，梔子花的香氣引誘著他又走向右面去，好像那是一個新開闢的路線，新奇而有趣。但是這時淑貞的影像又來到他的眼前。昨夜，他曾想過半夜，他覺得對不起淑貞，他以為大陸上有許多親友可以照顧淑貞母女，實在是錯誤的觀念，現在的大陸，不是抗戰時的大陸了，他怎麼可以做同樣的衡量。

也許他是一個冷漠的人，因為和淑貞相聚的日子不多，就不太有情感了？好像她是一個站在老遠的遠親似的。但是昨夜淑貞為什麼出現在他的迷夢中呢？祇是因為老太婆不把他的衣物整理好，並且懶得去縫補那個失去的鈕釦，他就不由得想起了淑貞吧！他對得起淑貞嗎？

又來到巷口了，在綠色的門前，他再度看見昨天黃昏的小女孩。坐在竹車裡，哭泣著，屁股一跳一跳的顛起來，臉上塗了淚和飯米粒。旁邊該是個女工，年紀小，不太會哄孩子，祇見她端著碗和匙，是在餵小女孩，又一邊安慰著：「心心，不要哭，媽媽要買糖糖回來呀！」

亞德不由得走到跟前去，關心地問：「爲什麼哭呀！小妹妹？」

路人關心小孩子是常有的事，小女工回答亞德說：

「看見媽媽出去，所以哭。」小女工說著，拿著湯匙的手，指向前面。

「哦！」亞德漫應著，抬眼向前望去，小小的母親果然和一個男人走著。

「她媽媽和爸爸看電影去了。」小女工很多話。

「哦！」亞德又漫應著，眼睛還望著遠處，那小小的母親挽著她丈夫的手臂，親熱的，好像完全不顧小女兒的哭泣，兩個人連頭也不回，遠去了。

「不要哭嘛！」亞德撫摸著小女孩的柔軟的黃頭髮，「叫什麼名字？」小女孩果然不哭了，愣著眼看亞德。

「叫心心。」小女工回答。

「心心，好聽的名字，心心。」心心竟掛著眼淚向他笑了。小女工也笑了，他也笑了。

他很高興，好像完成了一件好事，哄一個愛哭的小女孩使她不哭，並不是頂簡單的事，他記得淑貞半夜抱秋美在地上來回走著，冬夜寒冷，淑貞起床披著他的大氅，小棉被裹著那個愛哭泣的秋美，不知道是不是太冷了，秋美不停地哭。他曾不高興的對淑貞說：「怎麼回事，我明天還要上班。」他確實很不耐煩那個哭聲，但是現在他卻在哄著這個叫心心的小女孩。也許他那時太年輕了，完全不懂得體貼，更不曉得疼愛女兒。就像前面走去的那一對父母一樣吧！

「等會兒我給你買糖糖啊，心心！」他一邊用手勢比著遠處，一邊走去，心心好像又懷疑又高興的直瞪著他。

到大街上去，他果然守信用的買了幾根棒棒糖。在西洋畫報上，他常看見外國小孩吃棒棒糖的畫片，大概這種糖果確是對於孩子極有興趣，但是他很少看見中國孩子吃它。他買的還是洋貨，兩塊錢一根呢！

他很熱心的從大街上轉回巷子來。但不知心心還在不在門前？如果不在的話，這幾根糖，他豈不要帶回宿舍去給那些大孩子們吃了？

還好，遠遠的他就看見那輛小竹車在搖動了，小女工來回推著車。他微笑地走到跟前，舉起手中的紙包，遞給心心，並且打開拿出一根舉起來。心心好高興，喊著：「糖！糖！」小女工卻把一整包仍遞還給亞德：

「還不謝謝伯伯，心心！」她又向亞德，「一根就夠了，她媽媽不許心心多吃糖的。」

「啊？」但他怎好意思再收回來，推著說，「那麼就送給你吃吧！」

「啊！怎麼可以，不要啦！」小女工又盡職又有教養，一定不要，亞德倒很受感動，覺得這是一個難得的女工。爲了尊重小女工，他就把紙包接過來，和心心道別「再見」回宿舍了。

他是含著笑意走回宿舍的。年輕的人，今天例外的沒有全部出去，幾個留在院子裡聊天呢！亞德進來把糖包遞給巴文說：「吃糖，吃糖。」

巴文有點不明所以的接過來，打開來，見是棒棒糖，笑了，大概覺得主任祕書憑空請吃小孩子的棒棒糖很奇怪，看了亞德一眼，分給每人一根，並且說：

「姚主祕請吃糖，」又向著亞德開玩笑，「姚主祕，您請吃糖啦！是不是要恭喜啦！」

「笑話，是買給巷口上的孩子的，多買了幾根給你們大孩子吃呀！」

大家舉著棒棒糖，放在嘴邊伸出舌頭舐著，像孩子們一樣吃法。最後一根留給亞德，他卻不要，他不大喜歡吃甜的。年齡也許有關係吧，他心想，爲什麼他們都舐得那麼津津有味？

第二天、第三天，許多天下去，他都習慣走這條新開闢的路徑了。心心常常在那個時候被帶到門口玩，都是女工領著。亞德每天都要逗一逗心心，問兩句閒話，然後滿意地離開。有一天他還沒到巷口，就被看見了，祇聽見女工向心心說：

「快看，伯伯來了。」

那語氣好像是她們倆專在等亞德，而果然盼到了的意味。亞德很開心，心心也以等他成了每天黃昏的生活習慣嗎？他趕緊快走兩步，而心心已經撲向他了，他抱起心心說：「你有沒有乖？」

心心很懂事地點點頭。

「那麼我就送給你玩具。」

心心聽不懂，但是笑了，眼珠像龍眼核一樣的黑亮，小臉蛋又細又白，他難得看見這樣好皮膚的小孩，還是一向他不注意小孩子的緣故呢？他不由得也向那心心的臉上聞了聞，他知道許多講究的父母，不許客人親吻他們的孩子的，因爲怕髒、怕傳染。淑貞好像就是常常爲這事去囑咐僕婦。但是秋美的小臉蛋也有心心一樣的細嫩嗎？他自問著，他難得去親吻秋美似的，年代遠了些，一時記不起來了。

他給心心買了一個塑膠的小娃娃，心心高興，亞德也高興，他沒想到兩塊錢就買來了一個可愛的小女孩的笑容。他忽然想起在什麼書上看過說：陽光、嬰兒的笑、幸福的婚姻，是金錢買不到的，但是不用金錢反而能夠得到它們。

那一天他走到心心家門口時，門口多站了一個女人，他認得，是心心的媽媽，第一天就是看見她抱著心心在門口的。他照例遠遠就向心心微笑著招手，走到心心的面前時，小女工向心心的媽媽說：

「就是這位先生。」

心心的媽媽向亞德微笑點點頭。亞德猜得出小女工的話是什麼意思，一定是她曾向心心的媽媽說起，每天有一位喜歡心心的先生路過這裡，也常常給心心帶了糖果或玩具來。

「心心眞可愛。」他摸撫著心心的嘴巴對她媽媽說。

「哪裡，心心很調皮，沒規矩。」媽媽客氣地說。

「她一看見我就乖了，對不對，心心？」

年輕的媽媽好像不太會應酬，也像是個比較安靜的女人，她祇會以微笑來答覆一切。

他和心心道別，向前走去，心心竟追隨著他，斜斜倒倒的走了來。年輕的媽媽怕孩子摔倒趕快追上來，她的一根食指給心心握著，略側著腰肢，姿勢很美。母親的力量眞大，祇要一根纖纖細指就能使孩子不致跌倒，向人生的路程走下去。他有趣的想。

但是一晃眼間，他竟不知怎麼產生了一個錯覺——好像是淑貞，也憑著母性的有力的手指，帶領著秋美。不知她們母女的情形怎樣了？還住在老地方嗎？還是回娘家去了？她們靠什麼生活啊！有不少的親戚，但是親戚管事麼？

他近來常常想到這些。他幾乎每逢看見心心，就會想到秋美，想到秋美，會無端的難過起來。但也唯有再見到心心才能排遣這思念的情緒。

差不多一個多月以後的一天了，巴文說肚子吃撐了，也要隨亞德出去走走。他帶巴文去見心心，他對巴文說：

「我帶你去看一個小女孩，她可以幫助你消化。」

還沒走到呢，巴文倒先老遠地向前面不住點頭微笑著。原來是心心的媽媽在門口，巴文招呼說：

「安晴，怎麼樣，好嗎？」

「你好。」心心的媽媽說。

「怎麼樣，老唐還沒走？」

「走嘍！走了快一個星期了。」

「這回是哪條航線？」

「要繞大半個地球。」她說了彷彿無可奈何地笑了笑。

「那又得幾個月啦！」

「何止？是條貨輪，一路卸貨裝貨，總得大半年。」

「好，寫信替我問候老唐。」

「好，謝謝。」

他們在談話，他就逗著心心玩，巴文大概沒有注意，所以他們走過去幾步以後，亞德剛要說什麼，巴文忽然問：

「你說的小女孩在什麼地方？」

「咦！你不是剛才跟那女孩的母親說話來著？」

「就是老唐的女兒呀，我怎麼沒看見？」

「就在你身邊，沒看見我逗她？」

巴文並不注意小孩子的事情，祇是對亞德說：

「老唐是我中學的同學。」

亞德問說：「聽你們說話，好像你的朋友是個海員？」

「是的，」巴文搖搖頭說，「做海員的妻子眞要不得，丈夫一年半載在外頭是常事。」

「生活總該過得去。」

「生活！哼，」巴文從鼻子裡冷笑了一聲，「生活管什麼呢？老唐是個到處留情的傢伙，每個碼頭上都留下荒唐的行跡。是的，回家來，會帶些外國胭脂粉兒的給老婆，可是住個把月，留下幾個錢他又飄洋過海了。夫妻總要廝守著吧？把這麼年輕漂亮的太太扔在家裡，是不應當的。錢，有時並不是頂有意義的事。」

亞德尋思著巴文的話「夫妻，總要廝守著吧」，那是很有道理的，他同情這位年輕而做了母親的妻子。

亞德和巴文在街上散步一陣，話題都集中在巴文這位老同學老唐的身上。他們在路邊買了一些水果，快中秋節了，在台灣也祇有麻豆文旦上市了，還有木瓜，此外也就沒有什麼可買的。他們仍循原路經過心心的家，但門口沒有人影了，小綠門緊閉著。大概秋天來了，小孩子會早些被母親帶回家的。亞德有點悵然若失的感覺，走過去了，還側頭向小綠門看了兩眼。

回到宿舍來，巴文還是跟到亞德的房間來，也是因為天氣早晚涼爽些的關係吧，他們不由得放棄了在院子裡談天的習慣。

他們仍然說著老唐的故事。巴文說，老唐是個喜歡冒險的傢伙，又貪賺錢，所以祇要有出去一趟可以賺錢的機會，他是不放過的。他的太太安晴曾要求他休息一些時候，調回公司來坐辦公桌，但是老唐不肯，夫婦倆曾經鬧得很不愉快，如果說賺錢，幾時又曾見有多少錢交給太太？還不是老唐隨賺隨花掉了。所以，巴文很同情安晴，他認為老唐沒有做到保護妻兒的大丈夫的責任。一個男人能漫遊天南海北，並不就算是大丈夫。他讓嬌妻弱兒孤守家園，而滿足自己，彷彿是大英雄頂天立地的氣概，實在不值得什麼。

亞德聽巴文這樣數說著，不由得點點頭，是很有幾分道理的，他尋思。但是他又想起了海上漁民的生活，便對巴文說：

「我們是成年生活在陸地上的普通人，海對於人，也許不同些吧！我知道出海打魚的漁夫，在回到岸上後，就常常會把乘風破浪得來的辛苦錢，一大部分花在酗酒和賭博上，這種人性的造成，不是善惡的問題，而是生命度過極度緊張和危險後，潛意識的報復的舉動！」

「然而像老唐這樣的，爲什麼他的太太勸他休息卻又不肯呢？」巴文仍不以爲然的問，他總以爲那是一個要表現男性優越感的自私的行爲。

「這叫大爺有癮！」亞德學著巴文的北方人的語氣笑著說。

「巴文，」停了一下，亞德又若有所思地說，「我們做男人的，是很有些地方對不住女人。大陸上我的女人——妻和女兒，我快有十年沒有她們的消息了。我扔慣了她們，像你這位朋友老唐一樣。我祇想一個人很愜意地飛來飛去，彷彿她們是我的一件隨時可以取捨的行李，還沒有我箱子裡的一件毛背心重要呢！那件毛背心是我的女人給織的，我出門女人總不會忘記問我，要帶著毛背心嗎？然後替我把它放在箱子裡，而我呢，也總會問：毛背心給我帶著沒有？眞奇怪，怎麼我的女人，她從來不問一問：要帶我去嗎？或者，我也從沒有向她說過：我不帶毛背心，要帶你！」

亞德說著，兩手交叉背在頭後枕著，仰著向著天花板看，眼前的影像是模糊的。他想要勾畫出一幅他的妻和女兒的現狀圖，但是走進他的茫然的視線中來的，卻是在清香襲人的梔子花下，那個海員的妻子和女兒。他想塗掉她們，重新再來，因此下意識地搖頭眨了一下眼睛，但是祇一交睫間，她們又來了，站在小綠門前的那個嬌弱的女子。

他們兩個都暫時停止了交談，怎麼會婆婆媽媽地談的盡是些家庭瑣事呢？亞德不由得奇怪地想。這是女人們的話題呀！

「可是姚主祕，」停了一會兒，巴文終於又重新開了口，「我倒要報告您一個我的消息。」

亞德似乎還沒聽清楚對方說的什麼，巴文便又斜起嘴不自然地笑著說：「我要結婚了，還得請您幫忙呢！」

「啊！眞的嗎？那好極了！」彷彿有點突如其來的感覺，因爲他們剛在談的是許多男人對不起妻兒老小的話題，怎麼巴文就要加入這種男人的集團呢？

「不留學啦？」亞德又這樣問了一句。

巴文聳聳肩又是斜嘴一笑，那姿勢是一個無可奈何的表示，代表了答話。

巴文是個豪邁型的男人，一舉一動都是粗獷的，但他的內心並不然，亞德看得出，巴文熱愛家庭的實質甚於所謂事業的空架子。什麼是生活眞正的意義？什麼是事物眞正的價值？哲學家也曾詢問過：「不貪百萬財富，祇求給他一個問題的解答！」亞德在刹那間，竟聯想到這些不著邊際的，來自他心靈中的許多要求答案的問題。原來家庭的問題，也像宗教的問題一樣，難於給人一個滿意的、使人人平服的解答呢！

「日子定了沒有？」亞德問。

「正要跟您商量，還有許多其他的瑣事。」巴文變得嚴肅起來了。

「但我是外行呀！」

「您是過來人啦！」巴文笑著說。

「我不是說過，對於家庭，我是和你那朋友老唐一樣荒唐的嗎？」

巴文不理會亞德說什麼，又祇管說：

「您要做男方——我的主婚人……」

亞德聽了驚奇地瞪大了眼張嘴要說什麼，但是巴文很快地又接續著說：「您是不能拒絕的！」斬釘截鐵的口氣。

「唉！這個現成的差事，是好差事，可是，可是……」亞德不知怎麼說好了。事實上，這個要求，對於亞德是很有愉快之感的，但是他不能不謙讓一番，心中也的確有這番想法，他停了一下，還是對巴文說：

「巴文，聽我說，你是北方大家庭出身的子弟，總知道北方的規矩，婚姻的事，媽媽經常找幫忙的，必須要全福太太。丈夫，兒孫滿堂，福集一身的人來擔任，象徵著婚姻是幸福美滿的。你看我，」亞德右手伸著大拇指向自己胸脯上指了又指，「十幾年來可以說是個孤獨者，如果我代表你的家長，那象徵著咱們這個家族，不太熱鬧，不夠意思吧?!」

但是巴文連連搖手說：

「年頭兒改變了，沒這些講究啦！您，就是您！我今天在您屁股後頭追了好幾個鐘頭，就為的跟您提這檔子事呀！」

「為什麼不早說呢？」亞德這才明白，為什麼今天晚飯後巴文一定要跟他出去散步，但是繞了那麼一個大圈子，又說了那麼多話，到現在才提出來。

「您不知道我也是大姑娘上轎——頭一回嗎？害臊呀！」

就這樣，過了兩個禮拜，巴文搬離了單身宿舍。

巴文結婚的那天，禮堂的氣氛很好，因為巴文平日是個有說有笑的人，所以年輕的同事都來趕熱鬧。有年輕人在的地方，就顯著有朝氣，何況是巴文呢？爲巴文做主婚人，亞德很高興，年輕人也都跑過來跟冒牌家長起鬨了，他們灌他酒，他高興的喝了，而且多喝了幾杯，走起路來輕飄飄的了。

喜宴散了，賓客也一哄而散，他被一群年輕的同事擁上了處裡的交通車，一路開回到單身宿舍去。亞德好奇地問這些年輕人，爲什麼不去鬧洞房，但是年輕人都笑了！

「洞房是空的，新婚夫婦連夜趕車到日月潭度蜜月去了呀！」

亞德仰頭長長地「喔——」了一聲，表示原來如此，但是他搔搔頭皮，醉言醉語的說：

「和我們那年頭兒到底不同了！看，今天主婚人是抓官差的，介紹人也是抓官差的，祇爲保持著那傳統的形式嗎？爲什麼呢？」

年輕人中的一個回答說：

「意思意思罷了。」

車到亞德熟悉的大街轉角的水果攤了，他連忙喊：

「停住停住，我下來。」

有人淘氣的說：

「姚主祕還沒醉。」

「還可以喝一瓶！」亞德臨下車舉起三個手指頭，卻報出一瓶的數字，車裡的人都哈哈大笑起來。亞德自己也笑了。

下了車他揮手讓車子開去，直走向水果攤。想買梨，因爲口渴得厲害。攤子上有一堆紙包的日本梨，珍貴的擺在最高一層，價錢說出口要讓人吐舌頭。亞德不打算買，但他忽然想起昨天出門時遇見心心家的小女工，說是心心在出麻疹，不能出來吹風，正在發高燒。當時他是去赴一個宴會，來不及再多問便匆匆上車走了。現在他要看心心去，應當帶點水果，他毫不猶豫的買了四個。

腦子有點昏昏然，步伐可輕鬆，好像飄著，他自己暗想，對於酒的豪量是要打折扣了，他不是不敢喝，而是自然的不能喝了，一個人到了酒量自然減退的時候，也就是一切退步了，他有點茫然的感覺。

島上的九月，也有秋色的，大街盡頭的天邊上，有玫瑰紅的夕霞。梔子花好像落光了，還是他滿嘴的酒氣，掩蓋了花的香氣呢？心心的家到了，夕陽映在小綠門邊的樹梢上，暗弱的。他伸手去敲門。他從來沒來過這家裡，會不會太冒失。但是小女工已經應聲來開門了，看見是亞德，很高興，笑嘻嘻的。他不敢貿然走進去，祇打算把幾個日本梨交給小女工算了，但是小女工祇顧向前走，一路喊著，「太太，伯伯來嘍！來看心心嘍！」

亞德沒辦法，也衹好把腿邁進門裡，小女工已經在開屋門等候亞德進去，心心的媽媽唐太太從裡面來到屋門口了，笑迎著亞德。

很自然的，亞德進了屋，他第一次來到這要好的小朋友的家。唐太太把心心抱了出來，她的小臉起滿了紅疹，腫脹著，眼睛都睜不開了，抬起頭來，又無力地倒在小母親的肩頭上。不像每天那樣見了他就笑，她是多麼可憐呀！他過去拉起心心垂下的小手，她也沒有反應。

「不要緊麼？」亞德擔心地問。

「今天已經開始退下去了，謝謝您。」太太感激地說。

「去躺下吧，抱去躺下吧！」他揮著手請母親把心心抱進臥室，外屋的窗門是大敞開的，古老的記憶，好像小孩出疹子最怕見風，家鄉的二妹子長大了一直有擠眼的毛病，不就說是出疹子吹了風的結果嗎！

心心很乖巧，她一向就是乖巧的，母親把她放在床上再出到廳房來，她並沒有哭吵。

「我今天是去吃巴文的喜酒。」亞德忽然想起告訴她這件事，因爲他們是認識的。

「眞的？」她驚奇的喊著說，「唉！怎麼也不請我哪！小姐是誰？」她一連串的問著。

他告訴了她，她搖搖頭，不認識。「結婚了！巴文，眞想不到。」她微笑著，還有驚奇的餘意。

「我今天還冒充他的家長！」

「喲！」她有趣地笑了，「心心的爸爸快回來了，我一定要叫他補請我們。」

他心頭忽然掠過巴文對她講過的話，這一對海員夫婦的情形。他這樣快就回來了嗎？不知道這個少婦這次怎麼挽留她的丈夫？看上去，她是一個溫良的女性，不，近乎柔弱了！丈夫應當愛憐她，才對得起這溫順的女人。

初次來，他不好意思多談，起身告別了，說明天再來看心心。

第二天、第三天，一連多天，他都按時來看心心。孩子日漸好起來，玩著伯伯給買來的玩具。

唐太太也和他熟悉了，常拜託他上街的時候給帶這帶那來。

亞德很愉快，這樣每天到心心家來，成了晚飯後的生活一部分，看那小母女相依偎的愛，替她們做些事，彷彿對他自己也是安慰。

有一天，他忽然有所感觸，不知怎麼回事，在晚飯過後，就開始在久沒有動的書箱裡翻弄著。他記得有一張照片，終於找到了，是淑貞母女倆的。紙都發黃了，他責備自己不該把她們放在箱子底。

他把照片拿到燈下細細地端詳，忽然，照片上的母女在他眼前陌生起來了，他呆呆的看著她們，思想遊離了，不能集中，有一會兒，他才挽回失落的自己，把照片塞進外衣的口袋裡，預備拿去給心心母女看，這樣才有些話題可以和她們閒談。

心心的媽媽會煮很可口的咖啡，品茗著，閒談著，在秋天島上的客居，好像是百無聊賴中的一點生活享受。巴文畢竟結婚離開單身生活了，這裡沒有更能和他談得來的人。

他正在漫想著，不知什麼時候，男工老陳送進來一封信，他拆開看，是上面臨時派他到中部出差一趟查件事，明天就得走。他看完，隨手把它折起塞進上衣口袋裡，就熄了燈出去了。

還沒走到心心家門口，就看見小女工在喊三輪車，她看見了亞德，習慣的隨著心心稱呼他：

「伯伯嗎？先生今天回來啦！他們要去看電影。」

「哦？」他還沒明白，但是小女工已經去巷口喊車子，他這才恍然大悟，先生，一定就是心心的爸爸，前些時她講過他要回來的。那麼他這樣快就回來了嗎？

已經繞了大半個地球？帶了女裝料子和一些殘餘的愛情？

他為什麼想到這些呢？小女工從巷口那邊回來了，他突然對她說：

「告訴心心，伯伯明天要到台中出差幾天。」

「好的，好的。」小女工忙碌的答應，跑進小綠門去了。

他衹到台中四天就回來了，可是他卻有五天，八天，十天沒有走向梔子花香的小巷了。他很記掛心心，但是他又想，那個冒險家老唐還在家嗎？此時去合適嗎？他不知道老唐是怎樣一個人，在巴文的口中卻是一個大渾蛋！但是心心的媽媽卻沒有過一點點對他抱怨之辭呢！當然，人家憑什麼向他吐露心事！可是他為什麼這樣矛盾？不能一下子闖進小綠門裡嗎？

心心會不會想念這樣多天沒有來的伯伯呢？

四

這些天來，晚飯後的時光真是難挨，因為沒有到有梔子花小巷中散步和看望心心。真是奇怪，最初是覺得心心的爸爸回來了，唐太太一定要和丈夫忙著看朋友各處遊玩，不便去打擾人家，何況他和這位唐先生並不相識，怎好闖上門去。他是心心和心心媽媽的朋友。但是亞德心中卻脫不開對於她們母女倆的惦念，每天晚飯後，呆坐在屋裡對著窗戶看，噴著煙霧，在那裊裊上升的煙雲中，小母女倆的影子就姍姍而來了。

他發現自己很寂寞，也很愁悶，這種感覺是以前沒有過的，現在才發覺。他這樣想著，便又仰起頭來，等著牆上的壁虎出現，看壁虎可以使心情轉移一下方向，他的心情已經到了這樣的境況了嗎？他變得很可怕了。

壁虎來了，這是第一隻，爬在窗子的外面，肚皮向裡，所以屋裡的燈光正好照到那個呼吸顫動的、光溜溜的白肚皮上。第二隻壁虎也來了，停在燈前的牆壁上。那第一隻很快的扭著腰肢走了。

亞德研究起壁虎來了，他發現壁虎並不完全是醜陋的東西，仔細觀看以後，會發覺牠的美，褐灰色的花紋，布滿了全身，一直到尾巴。說起尾巴，那倒是牠全身最可怕的地方了；牠的尾巴很長，占了全身的二分之一，當牠靜靜地爬在那裡，祇有尾巴高高翹起搖動著，那一定是在打主意——攫取食物的主意。亞德記得小時淘氣，把壁虎的尾巴切斷下來，那尾巴還會跳動。大人們警告他，不要再淘氣去切斷壁虎的尾巴了，因爲牠的尾巴會跳回牠的身體再連接起來。又說，尾巴如果跳鑽進人的耳朵裡，是要命的事啊！幼年的警告，常常是可以一生都記憶的。壁虎的迅速眞是驚人，牠爬在平面的牆上，卻可以吞食正在飛行的昆蟲。

「吱吱！」壁虎叫了一聲，他微笑了。他想起幾年前聽人說過，台灣南部的壁虎是會叫的，但是到台中以北便成了啞巴。他去年到南部出差，在招待所的屋裡，的確聽到牠們的叫聲，可是北返時在新竹小住，也聽見牠的叫聲，他講給人聽，那時正値韓戰，同住的朋友向他玩笑說：「三十八度線打破了，會叫的壁虎漸漸北上。」現在呢，寂寞的晚上，孤坐燈下，聽了這聲「吱吱」的叫，原來牠們是從高雄叫到台北來了！

亞德在呆呆的想著，壁虎早已不知去向，他輕輕地吁了一口氣，起身到衣架上去摸索，看哪一件上衣口袋有香菸，今晚勢必要以香菸來遣此愁悶之夜了。他沒有摸到香菸，卻摸到幾張硬紙，以爲是名片，抽出來看，卻是多少天前揣了要拿給心心母女看的，淑貞和秋美的照片！他把它們拿到燈下來，再仔細地端詳那幾張發黃的照片。他忽然想，他不能設法打聽她們母女在大陸上的情形嗎？很有些人轉彎抹角的通信呢？他爲什麼不可以？

心血來潮，使他立刻想到香港的朋友，是的，章增易在香港，爲什麼不可以託他設法向大陸上去打聽呢？他這樣想著，便放下照片，又去翻動抽屜尋找章增易的通訊地址。幾年不通信了，突然寫這樣一封信去，合適嗎？有什麼不合適，老朋友了！增易應當了解一個中年人在流浪了半生之後，突然想到家的那種心境吧？

他立刻翻出了增易的舊信，找著了上面的地址，那是他工作所在的地址，他知道老朋友並沒有改變工作，所以那地址是不會有錯的。亞德攤開了信紙，看著淑貞母女的照片，就開始給增易寫信了。他毫無隱瞞地、坦誠的告訴老朋友，幾年來的島居生活並不壞，但是寂寞的心情卻日甚一日，這恐怕是年齡的關係吧？因此他想到被他扔在大陸的妻女，這時的情形不知怎樣？他雖然對不起妻女，但是差堪告慰的是，他依然故我，正因爲如此，他才動了要打聽淑貞和秋美的念頭。他想得很好，如果找到她們母女倆，設法使她們離開大陸到台灣來。這一點經濟的負擔，他倒是可以承擔，他多麼願意在中年以後，有一個極安定、極美滿、極安靜的家庭生活呢！最後他不由得再加上幾句話，不要再使他去摩撫別人家的孩子，來滿足一點思念自己女兒之情了。他寫這些時，又想到了心心。

他剛把信貼好預備明天寄出去，走廊下來了走路和說話的聲音，是向著他這屋的方向來的，他正在納悶，房門被敲了兩下：

「姚主任，您還沒休息哪！」

「哦哦！」亞德正在驚疑間，沒被同意，門就打開了，原來是巴文！後面跟著他的新娘，兩人春風滿面笑嘻嘻的進來了。

亞德很驚奇，但也很高興，這時來了訪客，可說是意外的驚喜了。

這對新夫婦是第二次來這裡，新娘子很大方，兩個人逗著、笑著、相親相愛，年輕夫婦的快樂，使得這間陰暗的單身宿舍也亮些、熱些。亞德手拿起要寄到香港的信，忽然想起什麼來了，對巴文說：

「你認識的那條巷口的女太太……」

亞德還沒說完，巴文就玩笑地插嘴說：

「除了這位女太太，」巴文指著自己的太太，「我可不認識什麼女太太啦！您說話可得小心！」

亞德也笑笑說：

「喂，不是玩笑，就是你那海員朋友的太太，記得吧？她聽說你結婚沒請她，很不高興呢！這些時正好她的丈夫回來了，還說要你補請哪！」

「哦，是老唐呀！他回來了嗎？那我們可以順便去看看他們，」巴文轉過臉徵求新娘子的同意，「怎麼樣？」

「隨便，可是我又不認識他們，跟著你亂串人家，像什麼樣子！」新娘子有些難色。

「沒關係，你會很喜歡唐太太的，是個善良柔順的女人。」

——是的，巴文說得一點也不錯，亞德心想，她是一個使人見了不由得要生憐愛之心的小小女人。

亞德愣愣的想了一下，剎那間感到一種說不出的滋味，從呆想中拾回了自己。抬起頭來，見巴文夫婦不知什麼時候已經站起身來要告辭了，亞德趕緊問：

「是要到你的朋友老唐家去麼？」

「走走看吧。」

「如果要是去的話，我也可以奉陪的，」不知怎麼，亞德忽然勇敢地說出這句話來，「我也好久沒見到那可愛的小女孩心心了，她病了一陣呢！」

他數叨著說，巴文並不注意，衹是說：

「那好，那咱們就一同去，給他們一個驚喜。」

亞德拿了要寄的信，穿起上衣，和他們一同出去。他暗自慶幸，和巴文在一道好多了，可以掩飾他專程造訪的難為情。

到了唐家，女主人當然很驚奇他們的共同出現，她來不及問他們同來的原委，來不及向一對新人道喜，便忙著到臥室去把心心抱了出來。

「看，誰來了？看伯伯又來了！」

心心瘦了，亞德無限憐愛的趨前去，拿起心心的小手，撫摸著，心心好像病後還沒有復元，軟弱地倒在母親的肩頭上，該不是害羞，而是無力。

巴文並不注意心心的存在，祇是問：「老唐呢？」

「他又走了！」小女人苦笑著。

「又滾啦？」巴文睜大了眼睛，「該打屁股！你怎麼還叫他走？」

「誰又管得了他呢？孩子病沒好，我讓他遲些天走，他不聽……」她辛酸的說，把頭斜過去和心心的靠在一起，母女相依的情景，亞德看在眼裡，無限同情。

大家這時都跌入沉默中，連那樣會說話的巴文，一時也都無話可說了，她又打破沉寂說：

「回來了，不知道怎麼那麼高興，非要帶心心出去逛，心心剛出完疹子，還沒復元呢，」她又轉向亞德，「伯伯知道的。所以，伯伯看心心這兩天又有點不舒服呢。走了也好！」她最後有些怨恨地說。

「沒關係，不用著急。」亞德這時才開口說了這麼一句安慰的話，心心不像以前那樣撲向他了，是軟弱，也是因爲亞德久久不來，小孩子很容易混熟，也很容易陌生的。

「伯伯也不來了。」媽媽這才展開些笑容說。

「會來的，會來的，」亞德連忙解釋，「我出差去了些日子。」其實哪裡有那麼多日子呢。但是他很高興他可以由今天起再接著來了，說實在話，他是多麼關心她們母女呢。

巴文這時也說：

「我今天是來請老唐和你的，補請你們，可惜老唐走了，那也要請你，你定日子好啦！」

「眞的？」她孩子般的笑了，「那我就不客氣了，不過要多過兩天，等心心好得俐落些，我出去才放心。」

於是他們便約定了下個星期五到新房去吃飯。

回到宿舍以後，亞德心情愉快得多了，這些日子來的莫名的愁悶、絕望的心情，現在被解除了許多，好像在他今後的生活中有些什麼希望，是因爲寫了寄香港的那封信嗎？還是因爲又可以每天去看看心心呢？

他躺進蚊帳裡，一時竟睡不著，想東想西，想到增易會回信怎樣對他講，想到家鄉的落葉，淑貞的影像，又想到今晚看心心的媽媽也憔悴多了，她那個喜歡流浪的海員丈夫，豈不正像自己年輕的行爲，是不顧妻子的，是從來沒想到做丈夫、做父親的責任的。想到這兒，他忽然覺得，如果由他來多多關照心心母女，不正是對於愧對淑貞母女的一種間接的贖罪行爲嗎？這樣做，會使他心安些。

接著這幾天，他又都像往日一樣的，每天按時去看心心，心心一天天地好起來了，有了歡笑，增加了飲食，眼睛亮了，靈活了。而心心的媽媽呢，精神也像是比那天晚上好多了，臉上有了光采，談笑也看得出是愉快的。

到了受巴文夫婦宴請的日子了，當然是亞德就近去約了唐太太一起去。他原本是很自然的，便是到了心心家，小女工來給開門的時候，看著亞德，竟笑了笑，亞德忽然敏感而難為情起來，因為他今天是要請這家的女主人一道出去的，他從來沒有過這種經驗，小女工的一笑，好像提醒了他什麼。他今天穿得很整齊，走進客廳，小女工倒茶來的時候，順便又笑笑說：「太太在化妝。」

他想，要怎樣使小女工不要往壞處想呢？心心走到他的身邊來了，他逗著心心，小女工也在一邊站著，而這時心心的媽媽出來了，難得看見她正正式式的打扮起來，她是有著這麼一種楚楚可人的風度，溫柔地向他一笑，他竟不安起來。他急忙的對心心說：

「伯伯今天高興極了！心心，你猜猜伯伯為什麼高興？」

心心哪裡知道伯伯為什麼高興呢？所以祇傻望著伯伯，並不答話。

「伯伯接到香港的來信了，」他又抬起頭來對心心的媽媽說，「香港朋友來信說，有我太太在家鄉的消息了。」其實亞德說這話的意思，還是願意小女工聽見的，表示他是有太太的，而且是有消息的，其實他不必要向一個不相干的小女工表白什麼，主要還是掩飾自己心中的不安。

「哦！那是好消息，姚先生，我聽了也替您高興。」她大大方方的說。

「有了好消息，我就要請心心哪！」他有意加強這件事的重要性。

臨走的時候，心心的媽媽又囑咐小女工一番，說是心心有些感冒的樣子，要注意。

能和心心的媽媽一同出來，是一件令人喜悅的事。亞德一上了車就這樣想。他又責備自己，不應當有這種想法，但繼而又想，有什麼關係，這是實在的心情嘛！總之，今天使他感到異常的喜悅就是了。

所以到了巴文家，一見到巴文，就被巴文取笑說：

「今天姚主祕年輕了，怎麼搞的？」

這是巴文一句無心的話，他說慣了笑話。放在別的稍輕浮的男人，一定會嬉皮笑臉的說，陪了年輕的女士，當然也年輕啦！但是亞德並不，他一向是嚴肅的，尤其是對於女性方面。雖然他心中的喜悅，已經形露於色，但是他仍拿出香港的來信來掩飾。他告訴巴文：

「我是年輕了，因爲我接到香港的來信，他們可能替我找到我太太呢！」

「那難怪了！」巴文也替他的頂頭上司高興。幾年來，巴文知道有許多人要給姚主祕介紹女朋友，都被他斷然拒絕了。

亞德這次更爲詳細的告訴大家說，同鄉朋友來信說，正好有家鄉的人逃到香港，朋友就向那人打聽，據那人說，認識姚太太的，前幾年見過，後來好像聽說帶了女兒回娘家去了。消息到此爲止，這已經夠使他高興的了。大家也都說願意繼續聽到更好的消息。

巴文今天請的客人還有其他幾位，大家飯後談得高興時，忽然有人提起說，東南亞各國正鬧流行性感冒，聽說已經傳進台灣了。

這一說不要緊，竟引起心心母親的不安，她說她預備先走一步，因爲不放心好像已在感冒的孩子。

心心的媽媽臨走時，無意的看了亞德一眼，大概因爲是同來的，所以要走時，禮貌上招呼一下，但是亞德竟也不由得向主人說：

「巴文，要不我看還是由我陪送唐太太回去，好不好？」

有什麼不好呢，主人和要走的都同意了，亞德也就理所當然的陪了出來。

到了家門口，雖然亞德的本意，是很想也進去看看心心的，但是這樣晚了，畢竟不好意思——那小女工的笑和眼光！他便衹好道了晚安又上車獨自離去了。

五

從巴文家回來的這晚，意外的，亞德竟失眠起來。他躺下去，一時覺得不睏，便從床頭隨手拿了一本書，是《隨園詩話》。看著隨園搜集來的琳琅滿紙的詩句，亞德不禁跟著低聲吟哦起來：

「江南黃梅時節，潮濕可厭，徐金粟云：不待雨來先地濕，並無雲處亦天低。……」

那種天氣對於他是多麼熟悉。在台灣，雖然台北冬季也是陰雨連綿，也是處處發霉，到處潮濕可厭，但是那味道和江南的黃梅時節又有不同。他停住了書細細的想，是要想出畢竟有何不同來。他記得那年在上海，他為了工作的關係，上海、南京兩處跑，梅雨時節來了，膩膩歪歪的天氣裡，他從南京回到上海的家。他是每逢週末回來的，火車上載滿了到上海度週末的人。他那一陣子不知怎麼那麼思念淑貞和秋美，衹要有兩天假日，他都不肯留在南京。他踏著小雨回來了，妻子和女兒在窗口迎著他。他們住衖堂房子的二樓，正是在街轉角處，可以看見自己家的窗口，他向二樓上招呼，心心和媽媽正在窗口——啊！不，不是，秋美和媽媽正在窗口，唉！他眞是今晚在巴文家喝多了酒嗎？怎麼想的！

亞德覺得眼睛很疲倦，書上的字，行間太密了，他看也看錯了行，想也想錯了事，還是睡覺吧。

閉上眼睛關上燈，他又想，《隨園詩話》是他所喜愛的一本閒書，好像到了一個地方，總要先去買一本，有時也會隨著他旅行許多地方，火車上、輪船上、飛機上。但是奇怪，竟沒買過一本正正經經的鉛印本，全是像這本一樣的石印本。而到台灣，翻印古書之風頗盛，也是把原來石印本又照了相，更加上令人不愉快的印刷。出版界的老闆們，祇愛發財，不肯爲文化做一些講究的工作，爲什麼不重新排過，加上新式的標點，請上國學家來寫考寫注，那才是一本看了過癮的書哪！……

他越想越遠了，簡直飛上了思想的太空，不要想了，快睡覺吧！他這樣告訴自己，卻還是睡不著。

他再度打開燈。既然睡不著，再看書吧，可是翻開了書，眼皮卻是酸酸的，又閤上了。眼睛閤上，書本也閤上，燈又關上。他怪今晚在巴文家喝多了茶，他家喝的是紅茶，最要不得的一種茶，所以才使他失眠嗎？

他又想起心心的媽媽，和她一道出去，又一道回來，滋味是甜甜的，令人有一種興奮或者什麼的感覺，唉！爲什麼這樣想！這是難爲情的。但是不好了，他今夜要輾轉難眠了。他努力地數數目字，卻是一點也不管事。讓他想淑貞吧，想淑貞

吧，想淑貞吧，不要讓有梔子花香的小巷的那個小女人走進來，他受不了，受不了……

夜很靜，小座鐘的聲音，腕表的秒針走動的細微聲，都透過靜夜傳進他的耳鼓，很不容易的，很艱難的，遠方有了雞鳴聲，他才模模糊糊的睡著。

第二天，頭發重，喉嚨也發癢，他起來，渾身不得勁，呀，一夜失眠竟有這樣嚴重的後果。他梳洗完畢，交通車已經趕不上了，索性慢吞吞的穿衣服，吃早點，然後叫了三輪車去辦公。對於他這個按部就班的方方正正的人，是很難得的。雖然同事們通宵之後趕不上交通車，原是很普通的事情。到了辦公室以後，他坐在自己的辦公桌前，渾身沒有力氣，眞想回到床上去，因爲這時睏神反而來了。

巴文過來了，亞德糊裡糊塗的指著他說：

「在你家，喝多了酒，還有那個紅茶，我今天差點來不了！」

「眞的？」巴文很奇怪地問，「不會吧，大家連一瓶都沒喝完。」

「眞的，」他做出睜不開眼睛的樣子，「我失眠了一夜。」

「啊！原來是失眠，我當是……」巴文安心的笑了，他當亞德是病了。

但是亞德眞是有些病狀，他的喉嚨一呼吸，就彷彿有一絲什麼東西，順著鼻孔直鑽入他的喉嚨，又癢又乾。他努力咳著，想清理它，但一次次這樣的來，麻煩極了，他以為回宿舍補睡一覺，一定會好的。

回到宿舍後，他沒有吃午飯，便倒在床上，昏昏沉沉的睡著了，早就耽擱了下午上班的交通車。人們都快下班了，他才醒來。

可是他渾身更瘦懶了，實在懶得爬起來。直到宿舍的人上了飯桌，他還是躺著的。

單身生活的情形就是這樣，他一天沒吃飯，沒有人關心他、注意他、想到他。他心酸酸的，又想到了心心；他今天不能去看心心了，啊！到底他是要看心心，還是要看心心的媽媽？昨夜的夢，使他難為情。

老陳來灌最後一次的開水，進來才發現今天姚主任有點反常，這樣早就躺在床上了。

「姚主任，您？……」

「有點不舒服，躺躺就好了。」

「晚飯也沒吃？」

「不要吃了。」

老陳衹知道他沒吃晚飯，哪知道他連午飯都沒吃呢！而老陳灌了開水就出去了，並不再關心他。是的，多少年來，他難得倒下來，也就無怪人家不理會這些。

就算是一個多病的人，如果他是單身的話，又能受到多少照拂呢？他因此想到一個家了，像這樣一個家豈不很好，院子裡種著梔子花，屋子裡跳著一個小女孩，沙發裡笑著一個少婦，但是心心的媽媽也是像他一樣孤單的，即使她有心心，她有梔子花，啊！爲什麼他想到這些，總想到這些？

亞德又昏昏沉沉不知時刻地睡到四圍黑暗下來，街上一點聲音也沒有了，他才恍然地想起，他現在應當是得了流行性感冒了，他應當早想起來叫老陳給他買些藥來，現在已經來不及了，不知道幾點鐘了？也好像睡了一整天，精神好了些，口渴，想起來喝水，才發現自己幾乎是和衣倒在床上的，怪不得睡得這樣不得勁，怪夢連連！

可是這時他聽見外面有了什麼人的聲音，很奇怪，向他的房間的方向走來，是急促的腳步聲。然後敲了屋門：

「姚先生！姚先生！」是女人的聲音，也有男人的聲音。

他趕快打開了門，站在屋門口的，竟是心心家的小女工，慌張地說：

「姚先生，我們太太請你去一趟。」

「什麼事？」她的慌張，也使他吃驚了。

「心心發燒很高，叫也不答應……」小女工哭了。

「是嗎？」亞德也慌了，但他還是勸慰小女工，「不要著急，我來。」

他來不及整理，就穿了上衣隨著小女工走了，又從抽屜裡抓了一把鈔票。

他走著，頭有些昏，好像太猛了，頭腦還沒清醒過來。走了幾步，他才又問：

「心心怎麼了？」他昨天一天沒有看見心心，好像別離了很久，不知心心的近況。

小女工繼續的說，前天太太晚上回來，心心還好好的，昨天和今天，兩天都沒有咳嗽，怎麼反而病了呢！晚上心心睡下了，媽媽摸摸頭，祇說好像又有些熱的樣子，但是剛才太太忽然叫她看，可不是嗎，叫也不答應了，心心的喉嚨好像有痰，出不來，太太急死了。

到了心心家，亞德連忙進去，心心正被抱在媽媽的懷裡，媽媽看見亞德來，好像見了救星，她皺著眉頭焦急地說：

「怎麼辦啊！她怎麼啦？」

然而亞德也對孩子的事沒有經驗，他唯一想到就是去找醫生，但是媽媽說：

「恐怕太晚了，台灣的醫生，晚上是叫不開門的，除了外科醫院，他們連電話都不接。」

「讓我來想。」亞德還站不穩，頭也發暈，思索都顯得吃力，好像思想不能集中，但他終於想起來了，和公家的特約醫生比較熟，這家醫生的門，就憑他，大概可以叫開的。

他們匆忙地把心心厚厚的包起來，小女工去喊車子，車子來了，他又看見媽媽祇顧孩子，自己也沒加件衣服，於是他自動從牆壁上的掛鉤取下一件外衣。他站在她的身後，她這樣矮小、嬌弱，他爲她披好衣服，不由得撫著她的兩肩頭說：

「不要著急。」

他是出於誠意的，他祇感到她需要受到保護。

上了三輪車，他們兩個人緊擁著懷中的孩子。他在想，如果公司醫生的門也叫不開的話，該怎麼辦呢？這是他的責任了。可以的，他可以用力地叫門，並且喊：「張醫生，是我！是姚亞德！請開開門。」

到了以後，很幸運的，門很容易地叫開了，張醫生也從睡眠中被叫起來。

醫生到底是醫生，手腳是快速而俐落的。馬上，一面聽診翻開看著孩子的各方面，一面聽母親的述說，他就斷定是急性肺炎，出疹子以後不小心，就容易併發的病症。

心心的媽媽急壞了，哀求著醫生，問他要緊不要緊，因爲「急性」兩個字在西醫的病症裡，一加上，就怪讓人害怕的。

但是普天下的醫生有一個同樣的習慣，他常常不答覆患者的問題，你問一百聲他也不答覆，好像沒聽見一樣，他祇管在他那病歷紙上寫著看不懂的德文，然後護士就彷彿自然的知道該拿什麼針來注射。病人是沒有辦法的，因爲醫生正在努力地做挽救生命的工作，他祇動手，不開口，問什麼也不肯說的。但是女人們也奇怪，沒有再比女人更愛向醫生發問的了，不夠常識的問題、不信任的問題。當然這都是發自她們焦急而無可依賴的心情。尤其像今天晚上，她是一個多麼無可依賴的小女人啊！

亞德像照應自己的家人一樣地照應著她，醫生也不問她是誰，亞德也不講她是誰。亞德爲她拿著外衣和心心的毛毯。注射好了，醫生才張口，囑咐一些該注意事項的話，她這才略爲安心地放鬆了一些臉色。他們一同走出來，亞德又擁著她坐上車。一路上他們都沒講話，是剛才的情緒太緊張了，這時都懶得開口。

亞德又送她們母女回家來，熱心地爲她們安排，他奇怪他這時精神倒好了，身上、頭上，好像也不那麼又酸又昏的了。這時大家都情緒輕鬆了些，她把心心送到床上安睡，出來後，很感激很抱歉地說：「眞是麻煩您了。剛才我可急死了。您已經睡了吧？」

「沒有關係。」亞德回答。睡，他是從下午就睡的，但是他怎麼肯講呢？這家人是祇有三個弱小的女人，是需要一個男人保護的，從今晚的事就可以證明了，但是那個好流浪的男人卻不知這時是在海上呢，還是在哪塊陸地上？這個年輕的海員，要到什麼時候才有歸心似箭的心情？要到像他這樣老大嗎？像他這樣老大，已經晚了，他對於自己的妻女團聚的希望已經很渺茫了。……

亞德呆想了一陣，她也沒再開口，忽然想起了什麼似的爲他倒了一杯茶。他喝著茶，才想起該回去，他怎麼能夠那麼安穩的，好像在自己家一樣地呆坐著不走呢！

他走出去，發現這時天上飄起極細極細的雨絲來了，有一點涼，也氣悶，天氣變得很快，呼吸並不舒服，是氣壓低的緣故，正合了昨天看的《隨園詩話》中的那句：不待雨來先地濕，並無雲處亦天低？

這次他很快地睡著了，一躺下去，才彷彿發覺了疲倦，他無意地呻吟了兩聲，整個的人像散了骨架，就等待這一覺才恢復體力了，他後悔竟忘記請醫生替他注射一針，和拿些藥了。

第二天，他的身體仍很沉重，好像沒有睡夠，也必得起來了，辦公室倒是請了兩天病假，但是他還是去看心心。

他去心心家時，心心已經被帶去昨天的醫生家診治，小女工留在家裡，她說今早心心好多了，已經醒過來，她說昨夜虧了姚先生，太太都哭了。

心心看病回來了，看見亞德，母親的臉上泛著笑容。他看她，覺得她的美麗帶著憔悴，使他動心。

心心仍然在睡，亞德接抱過來，發現心心的睡姿是這樣可憐可愛，他不禁親吻了她的小嘴巴。他把她放到床上去，心心被驚醒了，略睜開了眼，但隨即又閉上，亞德彎下腰去的時候，忽然有淒然的感覺，想掉下眼淚來，他驚奇自己的情感怎麼變得脆弱起來，像女人似的。他趕緊忍住這酸楚的心情，轉過頭來笑對她說：

「我想心心沒關係，醫生怎麼說？」

「醫生也沒說什麼，衹說再吃藥。」然後她想起來了，說：「今天沒有上班去嗎？」

他不肯講自己也病了，衹搖搖頭，表示這是無足輕重的事。

「那麼您在這裡吃午飯吧？我去買菜。」

「那怎麼好。」亞德不知怎麼說才好。

但是她已經準備去菜場了，她穿了鞋，又回過頭來說：「我燒兩樣小菜，也許您愛吃，在巴文家您說過的，我記住了。」

他答應留下來，她既然爲了表示感激他，他也不能辜負她的善意。

他聽見小女工正在後面房裡洗衣服，那麼他留在這屋裡，就有照應心心的責任了。

果然在她走後不久，心心醒了，在臥室裡哭起來，他好像記得說，病重的孩子是不哭的，知道哭，那就是好起來的現象。他趕快進屋去，把心心抱起來，心心愣愣的看著他，好像不認識他，是的，這一陣子他們很少接觸了呢！

他把心心摟在懷裡，坐在沙發上，心心就乖乖的依著他。他舉起她的軟小的手，放在唇邊吻著，逗心心笑。心心變得那麼成熟的樣子，她笑得又無奈、又凄涼，在那剎那的感覺中，彷彿就是媽媽。

她回來後，他又幫著她給心心吃藥，是費了一些力氣的，藥吃下去，又嘔出來，並且哭泣著。

他仍然抱著心心，她在擺飯菜，濃厚的家庭的味道，刺激他的錯覺，他頭有些暈，恍惚起來。

他的胃口並不好，但勉強地吃下許多，回到宿舍時，他也嘔吐了，他掙扎著換上睡衣，心想也許睡個覺，又可以恢復過來，但是沒有，他的夢很多很亂，大概睡了一天一夜，才又被老陳發現他病得不輕。

六

老陳是給亞德送一封香港的來信，發現他病了。老陳很納悶，他昨天送開水來時，姚先生就這麼躺在床上，怎麼到今天晚上，還是這麼躺著呢？他拿了航空信封，走到床前去，輕輕地叫：「姚主任！姚主任！」

亞德沒醒過來，祇是又似答應，又似呻吟地哼哼了兩聲。老陳覺得不對勁兒，又叫：

「姚主任！您的信。」這回他試著聲音大了些。

沒有回答，沒有動靜，老陳不由得再向前探著身子看，才發現亞德滿臉通紅，眼睛糊著一層眼屎，氣色完全不對了。老陳嚇了一跳，大膽的又摸摸亞德的頭，滾燙的。他不懂得是怎麼回事，有些無措，便把航空信扔在桌上，返身出去。他是想去找哪位先生告訴一聲，但是宿舍的人走空了。哦！今天是週末，他才想起來，連大師傅老劉都沒了影兒，一幢宿舍裡，祇剩下他和這位病人了。

怎麼辦呢？老陳焦急地想辦法，總算被他想起來了，巴文搬走時曾給他留下了電話號碼，說是如果有他的信件就打這個號碼找他來。

老陳找出電話號碼來，便到隔壁的一家公司裡借打電話，電話是女人來接的，他說要找巴文，對方說：

「我是巴太太，巴先生沒在家，有什麼事跟我說吧！」

他結結巴巴地告訴巴太太說，姚主任生病了，請巴文過來一趟，宿舍沒人做主。巴太太聽了嚇一跳，連忙問是什麼病。老陳詞不達意的說：

「我也不知道，臉色很不好，不說話了。」

巴太太聽了急了，連忙說：「我去找巴先生。」

老陳掛上電話回到宿舍來，又到亞德的屋裡去，他聽亞德在喊他，連忙到床前去，卻又不是，祇是病人在發囈語，他彷彿聽亞德說：

「眼睛！眼睛！」

也許因爲眼睛糊上眼屎睜不開，所以喊眼睛？老陳趕快又去擰了一個濕手巾來，敷在亞德的眼睛上，替他擦抹，亞德卻又像不知道一樣，不發囈語了，昏昏地睡著。

看亞德安靜下來，老陳才放下蚊帳，把被子掖好，走出屋子。他等待著有一個人回來，哪怕是老劉，也是好的，免得他一個人沒主意。

老陳便在亞德的屋外和大門間一趟走來，一趟走去，果然盼到有人叫門了，打開來看，是巴文！老陳高興極了，這正是他最盼切的人。

巴文進來一邊問老陳，姚主任怎麼樣了，一邊往裡走，老陳述說的話，巴文根本沒聽見。

到了亞德的屋裡，巴文掀開蚊帳，也是摸摸亞德的前額喊著：「姚主祕！姚主祕！」

亞德長長的歎了一口氣，嘴裡喃喃的，巴文還直問：

「您說什麼？您說什麼！」

其實亞德根本是熱度太高熱昏了，巴文見問不出道理來，便對老陳說：「我去打電話請醫生。」

週末找醫生也是不容易的，很巧的，巴文打了一圈子電話，也是請的公司的特約醫生。

巴文打完電話回來，一進來，老陳就報告說：

「您聽姚主任又喊眼睛！眼睛！」

巴文仔細地聽，果然亞德半睜開眼，看著床邊站著的人，卻伸出手喊：

「安靜，安靜，來吧！」

巴文皺著眉對老陳說：

「他不是喊眼睛，他是喊安靜呢！」

「是嘛！喊眼睛嘛！」老陳手指著眼睛，嘴裡可是說的「安靜」，原來老陳的家鄉話「眼睛」是念成「安靜」的。

巴文自言自語地說：「不是，他是在叫誰。」叫誰呢？安靜？眼睛？嚴精？安慶？巴文怎麼也聯想不起這兩個字的轉音。忽然亞德又冒出了一句：

「心心！小心點兒！別……別……」

巴文還是納悶，正好這時張醫生來了。手腳俐落的醫生，見了病人不多說話，儘管你在旁邊陳述，他也是祗顧聽診、看舌頭、試溫度、量脈搏，好像他胸有成竹，你說的全是多餘之話。張醫生聽診完畢後，才抬起頭來對巴文說：

「那晚他帶小孩子來看病，我就發現他氣色不太好呢！」

「小孩子？」巴文奇怪的問。

「他帶了一位太太和小孩子來看病的呀！」

「嗯？——」巴文說，「張醫生，你認錯了吧？這是姚主任。」

「我還不知道他是你們的姚主任！」張醫生以長輩的口氣說，「我認識他十年了。」

「可是他沒有太太和孩子。」巴文說。

「可是他就是帶了太太和孩子的！」張醫生堅決地說。

「喔！」巴文恍然大悟，輕喊著，「怪不得，敢請是老唐的小孩子，是位年輕的太太嗎？」

「不但年輕而且漂亮！」張醫生也很會開玩笑。

「那是我一位同學的太太。」

張醫生一面從醫藥箱中拿出注射器來，一面對巴文說：

「既是同學的太太，怎麼半夜由姚主任帶去呢？」

「老唐沒在家，他是海員，那就是了。結果怎麼自己也倒下了呢？」巴文最後又是納悶地自語著。

「亞洲流行感冒鬧得太凶了，能抵抗的就過去了，不能的就要大發一場。那天我就看出姚主任的神色不太對。」張醫生反覆地說，注射針已經打完了。病人又在喊：

「安靜，別難過！別——」

「哦——」巴文忽然想到了，亞德叫的是誰，是老唐的太太，她名字叫「安晴」，對，安晴，還有心心，安晴的小娃娃，是亞德的小朋友，他怎麼忘了呢！但是他「哦」了一聲以後，並沒有說明，他怕老陳或者張醫生會想到別的地方去。

但是巴文自己卻想到別的地方去了，直到張醫生一切都安排好走了，他守在亞德的床前，還懷疑地想，爲什麼他不喊別人，而喊安晴呢？他怎麼和安晴混得這樣熟了？對了，巴文又回想起幾次亞德和他談到安晴的事，前些天，他還請了亞德和安晴，他們倆是同來同往的，而且，連他們新婚夫婦去安晴家，都是亞德帶去的呢！……眞的，這一切，是不是被想像得太壞了？不要這麼想，姚主任不是那種人，他是君子。

但是亞德又在喊了：

「對不起，安晴，對不起你……」

過後不久，亞德總算安靜的睡得沉著了，呼吸也勻稱些。

巴文因爲沒和家裡講，怕年輕的太太等候會害怕，他們是新婚哪！於是他便叫了老陳來，囑咐老陳今晚在姚主任房裡睡，並且告訴吃藥的鐘點，這樣，他才回家去的。

第二天很早巴文便又來了，還好是星期天，不用上班，時間比較從容。他好奇地先到老唐家裡去看看。

安晴剛買了菜回來，在給小孩子煮湯。

「安晴，聽說你小孩子不舒服了？」他進門便問。

「是的，聽誰說的？姚先生嗎？」安晴很自然地問。

「不是，是張醫生。」

「哦？」安晴大概很奇怪巴文怎麼會見著張醫生，除非巴文也去看病了，但她又不好問，巴文是好好的，怎麼能問他有沒有病呢！「你見著張醫生了？」她祗好這樣問。

「是的，姚主任病了！」

「是嗎？」她驚奇地問，「怎麼病了？前天還在這裡吃午飯哪！」

「在你這裡吃病了，直罵你！」巴文和安晴開慣了玩笑。

「怎麼會嘛！」安晴不相信，「到底怎麼回事？」

「眞的，要不要去看看他？他直在叫你，叫安晴。」

「別胡扯，他根本不知道我的名字。」安晴認爲巴文是開玩笑的，不過她要求和巴文一道去看看亞德。

安晴要買些東西，但被巴文攔住了，他告訴安晴，直到昨晚他回家，他都是昏沉沉的沒醒過來。

他們到了亞德的宿舍。這是安晴第一次來，她小心翼翼地跟在巴文後面，一邊打量著這宿舍的情形，拐來拐去才到亞德的房門口，剛好老陳從裡面出來，他告訴巴文，病人好多了，夜裡醒來兩次，要水喝，但仍是顯得昏亂，喝了水就昏睡，有一次還說了一句「渾身瘦」，藥都按時吃了。

安晴不太好意思到床前去，她畢竟年輕，這又是單身男人的宿舍，她站在桌邊望著床上。

巴文到床前去，亞德睜開了眼，可是不招呼人，好像來了一個不相干的人似的。巴文卻對亞德說話了：

「您今天好點兒了嗎？您看誰來了？安——唐太太來了！」巴文的嘴來回繞了兩三次，又要說安晴，又要說唐太太。然後巴文招安晴過來到床前，安晴祇好微笑的向躺在床上的亞德說：

「我不知道您病了，眞對不起……」

這時亞德忽然糊裡糊塗地伸出手來，是要和安晴握手的樣子，安晴也祇好把自己的手伸出去，亞德眞的握了握安晴的手，眼直直地重複著安晴的話：

「眞對不起，……安晴！」

安晴很尷尬，尤其當著巴文的面，因爲姚先生從來沒叫過她名字，她也不知道他怎麼會知道的，這樣一來，彷彿剛才她騙了巴文說姚先生不知道她的名字，他叫得這麼熟悉，而且這樣地握著她的手，很難爲情，她羞得臉孔全紅起來了。她輕輕掙脫開亞德的手說：

「我才對不起您，心心的病害您半夜給找醫生，一定是這樣您才病的。」

亞德衹是搖頭，好像他沒聽見安晴說的什麼話，傻看了一會兒，才又昏昏睡去了。

安晴轉過臉去對巴文苦笑著說：

「眞奇怪，他怎麼叫起我的名字了？他怎麼知道的呢？」

巴文看出安晴還是個天眞老誠的女人，她不會撒謊的，確是亞德在熱病中的囈語。看樣子，他還沒完全醒過來，這病眞是消耗人的體力。

「你回去吧，你的小孩也不舒服呢！」巴文催安晴回去。

「沒關係，心心好多了。」

「心心，對了，昨天姚主任還直叫心心呢！我想了半天，忘記那就是你的孩子了。」

「是嗎？姚先生是最疼心心的了。」

他們倆說到這裡，突然同時沉默下來，誰也沒再說話，在想各人的心事，他們也許想的各不相干，也許想的是有關聯的事，或者他們都想的是一件事吧？比如他們也許同時在想：姚先生到底是什麼意思呢？不要胡想，他是君子。

安晴還是先走了，她說她會再來照料姚先生，那是應當的，因爲他也曾那麼熱心的照料過心心呢！

果然，安晴每天都要來一趟，亞德漸漸好起來了，他顯得很疲倦，病了一個星期的時間，好像消耗了他多年的體力，他起不來，不得不仰賴每一個進到他屋裡來的人。

他已忘記剛病時的情形，他現在也不叫「安晴」了，還是叫她「唐太太」，就彷佛他從來沒叫過她安晴，也不知道她的名字是安晴似的。

但是她對於安晴每天的到來，感到十分愉悅。她隨時都爲他做些零星的小事，並且每天煮了可口的清淡的湯菜來。她的熱心使他感激，也使他感覺到女人對他的需要。女人的動作是優美的，凡事是細心耐性的。她們喜歡整理，喜歡縫補。有了她們，空氣也不同，帶著溫柔的韻律。

他並不記得病重時自己曾發過什麼囈語，還是巴文有一天來時，隨便談話時說起的，最初他們是談起了老陳，巴文說：

「老陳這傢伙，說話亂岔，有時就不知道岔到哪兒去了。你發高燒不清醒的那天，老陳非說你眼睛要瞎。」

「怎麼回事呢？」

「你不是直喊安晴、安晴嗎？老陳按他們的家鄉話給翻譯成眼睛了，又看著你神志不清，眼睛上糊滿了眼屎，他就非說您要瞎，多可笑！」

「我糊裡糊塗的眞是這麼喊過嗎？」亞德覺得臉發燒，有些難爲情。

「怎麼不眞，安晴來了，您還拉著她的手叫她，說對不起她呢！」巴文說得很自然，就好像專爲講老陳的笑話做註解，而不是故意說出來臊他的，但是亞德這才知道自己在病重的夢囈中是曾經多麼放肆過，眞是難爲情極了。

這樣一來他才眞的覺得對不起安晴了，他希望安晴不要介意，原諒他是在病中，他不是這樣的人。亞德雖然在歉疚，在內心還是時時有一種莫名的錯覺的。

他告訴自己說，香港就會來信，他們可能找到淑貞，然後他要設法讓她逃離鐵幕，帶來他們唯一的女兒。他們要過著安穩祥和的家庭生活。他要在庭前種些梔子花，夏夜發出幽香的味道。他要摘下米黃色的梔子花朵，插到嬌小的安晴的鬢邊，不，啊，是淑貞，插到淑貞的鬢邊，他要抱起心心，吻她的小嘴巴，讓她乖乖地叫爸爸，啊，不，是秋美，不是心心。

他很痛苦，他一方面假設毫無消息的淑貞的行蹤，一方面錯覺的按到安晴的身上。他有時被自己的思想糾纏到不能自拔了，整夜的失眠，看壁虎、聽雞鳴，都不能遣此愁悶的長夜。

他消瘦了，爲了挽救自己的情感，他決心離開台北，離開梔子花香的小巷，離開那縈繞不斷的安晴母女。沒有人知道他眞正的心情，他們衹知道他要調個清閒的差事，到台中去靜靜的養疴。是的，靜靜的做自發的情感的養疴。

七

就正在亞德請調的時候，要換新局長的風聲也就傳出了，而在他請調成行那天，也正是新局長到任的日子。所以他的調開竟和換局長這回事也連在一起談了，而且談得像有那麼回事似的，說是把該升的姚主祕反到冷凍起來，是因爲如何如何。這些似是而非的傳聞，亞德並不在意，就隨他們把那些傳聞成長著，這樣反而可以掩飾他眞正的心情。

在臨行的前夕，安晴爲他餞行，沒有請什麼人，當然還是少不了巴文夫婦。

亞德的元氣恢復多了，但是也還略有清癯之感，他這場病是不輕的。心心呢，也一樣，她得了兩場病，更不輕。本來蘋果似的小臉蛋兒，現在也削尖了。但是這樣一來卻更像她的媽媽了。

媽媽看來很興奮的樣子，她又是主人又是主婦，所以要在餐廳與廚房兩面跑來跑去，鼻尖上浸出汗珠，兩頰微紅，倒比往常嬌艷了。

吃飯的時候，亞德把心心也抱在飯桌上一起吃，他並且把心心抱坐在自己的腿上，安晴看見了雖然直說不要抱，抱著不好吃了，但是亞德哪裡肯，他實在是捨不得這個小女孩。他並且用自己的筷子夾了柔軟的菜給心心吃，也顧不得這是不衛生的，沒禮貌的，他衹覺得唯有這樣，才是最親密的。心心今天也好像特別懂事似的，就乖乖地坐在姚伯伯的腿上，餵她一口，她吃一口。亞德想起第二次見心心，就是在阿嬌餵她吃飯的時候，坐在小車上，吃一口，小屁股顛起來一下，在黃昏的彩色下，他看見這麼一個快樂的小女孩。安晴又從廚房親自端上來一盤剛燒好的菜，亞德不由得把剛想到的說出來：

「我第二次看見心心，就是阿嬌在門口餵她飯吃。」

「伯伯的記性眞好！」安晴微笑看著心心說，「來，還是媽媽抱你吧，伯伯要吃菜了。」

心心大概坐得很舒服，又有得吃，所以聽媽媽要接她過去，竟扭扭身子，搖搖頭，不肯呢！

巴文也不由得說：「給伯伯做女兒好了！」

心心不知道懂不懂，但是竟轉頭仰起臉來向亞德看了看，亞德笑了，低下頭來親吻著她的頭額，祇覺得無限的愛憐，似乎比自己的女兒還親密，眞的，他對自己的女兒何曾這樣愛撫過，這樣擁抱過，這樣思念過呢！他想他離開台北最感到不習慣的一件事，就是看不見這個小女孩了，最初他會很想念她們母女的，他的心情會有一陣子不安寧，他是爲了自拔於這些情感，才離開台北的呢！他一生走過那樣多的地方，做過那樣多的事，從沒有一件事使他不能自拔過，老了，感情倒脆弱起來了。他這樣想著，不由得舉起了酒杯，向安晴敬酒。

這動作很猛然，安晴好像來不及的接受，也連忙舉起酒杯來，沒有話可說，不知道亞德這杯酒敬的是什麼名堂，兩人把酒喝了，安晴才藉這機會說：

「姚伯伯走了，我們心心便沒有人疼了是眞的……」

安晴微笑地說，眼睛向巴文夫婦望了一下，跟著她的眼眶裡卻湧出了淚，可是她還是笑著，那笑明明是掩飾的笑，其實她說這話是有些哽住了。亞德看著安晴的樣子，老大的不忍，他把心心摟得更緊些，他幾乎可以說：「那我就不走了！」如果他多喝幾杯酒下去的話，他眞可以冒冒失失說出來的，但是現在他是清醒著的，他不說這話，他祇把酒往嘴裡送，一口又喝下一杯。

巴文卻微笑著對亞德說：

「您可不能再喝了，您還不能多喝罷？」

「好好，不喝了，吃飯了！吃飯了！吃飯了吧？我的小心心！」他又聞著心心，他有一種幾乎不能克制的情感，卻祇能對著心心表示，他是多麼痛苦啊！看，剛才安晴的淚光笑影，明明也是有著含意的，不是嗎？為什麼我們不能放任些呢？為什麼要克制得這樣厲害呢？為什麼要自苦的跑到台中去呢？

但是不能夠，不能夠，淑貞秋美母女倆也許已經在逃出鐵幕的路上了，也許在澳門的邊緣上了，那才是自己眞正的幸福的源泉。但是，他忽然憶起前些時的報上登載說，一位在美國十八年的藝術家，最近到台灣來和他從鐵幕剛逃出來的太太聚會了，他要帶她到美國去享老福，是的，他們分離的時候，她才三十幾歲，正是生命的旺盛之年，現在他們團聚了，她老成這個樣子，她的兩手因為在匪區過度的勞役而變得有發抖的毛病，但是她就要到美國去享福去了！誰說今天沒有王寶釧呢？淑貞也是，淑貞也會變成那個樣子，淑貞絕不是眼前安晴的樣子，安晴是另外一個女人啊！現在也是另外一個年代啊！但是他有點奇怪，為什麼香港這許多日子都沒有消息來了呢？

他也許喝多了，有些迷惘，但是他心裡是絕對明白的，絕對絕對明白的，因此他該告辭了，明天上午就要上火車，他還有些零星的事要辦。

他和巴文夫婦都同時告辭了，安晴抱著心心，亞德趨向前去，在媽媽的懷中吻著她的女兒，他抬起頭來對安晴說：

「有什麼事就找巴文。」

又對巴文說：

「你得多替我照顧心心，在你太太還沒有生兒子以前。」

巴文笑了，新娘子趕快躲在丈夫的身旁，咯咯咯地嬌羞的笑著。

終於離開台北，離開有梔子花香的小巷，離開安晴母女了。台中的生活，在初去時，確實是不習慣的，算一算，他在台北住了將近十年了呢！如果不是爲了解除感情的自縛，恐怕還要住上十年吧？眞說不定。

到了台中，他雖然天天思念著心心，但是他故意的不寫信去，要試試自己到底能支持多久，結果是過了兩個多星期才寄出兩封信，當然是給巴文和安晴的，但是他立刻接到他們的回信了。安晴的信簡簡單單，她沒有很高深的文筆，可見得受的教育程度並不頂高，起碼她袛是個普通的家庭少婦型。

巴文的信倒長些，除了報告一些公務上的事以外，也談到安晴母女，他說他眞的「受人之託」多去看了這娘兒倆兩趟，他說安晴還是念念不忘亞德對她們母女的照拂，和她們依依不捨的心情，又說心心胖了些，都很平安。

看巴文的信，亞德倒覺得心酸了，很不好過。他想他在情感上是應當繼續照應這小母女倆的，他應當把安晴當做自己的妹妹看待，把那個整年不歸的海員，當作一個沒出息的妹婿看待，那樣他就可以心安理得的照應她們了。為什麼當初不能這樣想，而把自己陷入另一種感情的泥沼中，弄得好像在泥塘裡極力地拔腳逃跑，惟恐陷進更深的泥淖中。

又過了些時候，他才寄信給心心。並且買了小衣服寄給她，因為兒童節到了。

等到安晴再回一封道謝的信給他以後，他們就斷絕了信件的來往，他衹是幾次在巴文的信中請他代為問候她們母女，等到巴文太太眞的生了兒子，就連巴文也少來信了，據別的同事來信說，巴文在家裡當「孝子」呢！

可是就在亞德來到台中兩個月以後的一天，忽然接到一個陌生者的來信，字體他不認識，用的是公司的信封，當然是同事了，他打開來看，除了一張信紙外，又附帶著兩封香港的航空郵簡。看那張信紙，才知道是李處長寄來的。他信上說，亞德所住的單身宿舍，現在因為調走的調走，結婚的結婚，偌大一幢房子，竟空閒了，於是公司決定加以修葺改裝，他全家住進去。在打掃亞德原來住的房間時，搬開書桌，發現書桌後板夾著一封未拆的信，想像失落已久，另一封是新寄來的，現在一併隨信寄來了。

亞德急忙的檢視兩封航空郵簡，果然一封是舊的，上面沾了塵跡水漬，看看日子是三、四個月以前的了，他很奇怪，怎麼沒收到這封信，而落在書桌後面去夾住？那祇有從窗子扔進來，或許會那樣的，什麼時候從窗子扔進信來呢？老陳幹的事？哦！他想起來了，那時他正病著，可不是？他正發高燒昏迷著，信件才被亂抛的。

他打開了先來的一封來看。他的臉漸漸地熱起來，感情激動著，心臟跳動著，那上面是香港老朋友告訴他的確實的消息，淑貞已經在四年前過世了，死在娘家，所以女兒跟著外婆舅舅居住。……

亞德看到這裡，不相信自己的眼睛，又從頭看一遍，還是不錯，很簡單的話，淑貞確實是已經死了！

他扔下這第一封信，久久的茫然著，不知道該從哪兒想起？他從來沒想到淑貞還活著的，因為在台灣的每個大陸上有家的人，都要有一種家人已不在的心理準備，但是亞德沒想到這事實眞的擺到他的面前時，他又不相信它的眞實性了。

怎麼會死了呢？如果他要在四年前想到接她們出來的話，淑貞到現在還是個大活人吧？

他起身到窗前，凝望窗外許久許久，從黃昏到天黑，他沒離開窗子，也沒再看另一封最近來的信。他在想什麼，思想卻不能集中。東一頭，西一頭的，他想到淑貞的一切，良心彷彿很受了譴責，但是他又茫然地覺得這是很久的事了，是不能怪罪什麼人的事了。

就這樣反覆的，他想到天黑，才把自己找回來，打開燈，再看第二封信，最近來的。那上面說，前信報告淑貞的死訊後，繼續又向大陸詢問秋美的情形，是否可以接出鐵幕，現在有了回信，說是可以有辦法的，所以現在問亞德的意思怎麼樣？並且安慰亞德說，愛妻雖然沒有了，有了愛女在身邊，也未嘗不是愛妻的影子的復活，請他不要難過。

愛妻？亞德自問著：他什麼時候愛過淑貞呢？像這樣一直不知道應該好好地愛著自己妻子的男人，除了他和安晴的那位海員外，還有誰？巴文開始就愛妻子，為了娶妻，他犧牲了留學的機會。李處長去年才過的銀婚紀念，還有張三、李四……都是夫唱婦隨的。他這一生幹什麼來著？等到妻子死了四年之後，才千山萬水的想起應當廝守來了！他有什麼出息呢？他怎樣挽救自己失去的人性呢？

除了把女兒接來。

他算秋美的年齡，有十五、六了，是的，有十五、六了，他想到這兒，不由得向眼前的空間望了望，想像中那個十五、六的少女站在他的面前，是怎樣的高？他離開她時，才是個牙牙學語剛會跑跳的女孩子，不就是心心那樣麼？現在呢？十

五、六了！他將有一個亭亭玉立的少女來做他的女兒，解除他的寂寞，並且這是他的責任，他已經沒有責任很久了！

很快的，他寫了信給香港的朋友，請他務必設法把女兒接出來。

信發出後，他安心得多了。於是他偶然地回味著，如果他在前四個月收到那第一封信的話，是不是還會請調離台北呢？他會怎麼樣呢？想不到心心母女倒和淑貞母女有這麼一般不相干的關連，爲了心心而找到了自己的女兒，這中間的經過，豈是能和外人道的？這是他心中的一個祕密，他會永恆的記憶著，但是不會告訴任何人，哪怕秋美來了也不能說。

說一步步接近女兒的來臨會成爲事實，在台中也住了一年過了，日子像飛逝一樣的快，想到快見到女兒了，心裡倒莫名地不安起來，很有古人的「近鄉情更怯」的味道。

而就在這時，巴文來信中偶然提到了安晴那方面的消息，說是安晴的丈夫，不知是在哪一個碼頭失蹤了，他沒有再回到船上來，那可能是他留戀於某個碼頭的女人，有長久居留的意思，或者可以說，起碼一時是樂不思蜀了。說是這消息來得確實，但很模糊。又說安晴聽了以後，冷靜得出奇，因爲她在心理上早已有此準備了——她有一天會失去他的！

亞德可以想像出那個小女人的冷靜的態度來，但是他是多麼心疼她，那臨別餐桌上的眼淚啊！

八

而現在，亞德的腳步走到一年多前的梔子花香小巷中來了。

往事如潮浪般地湧向他的腦海，經過是這樣的平凡，又這樣的奇妙！心心不知道長多大了？這時會不會坐在小車裡？不會的，她該上幼稚園了，穿著圍裙，梳著小辮子，這時候在唱歌給寂寞的媽媽聽罷？她會高興或難過得流眼淚嗎？

他現在要到她家去做什麼呢？就說要看看久別的小朋友，也告訴安晴，這一年的經過，淑貞，以及秋美的事。更主要的是，他要告訴安晴，李處長太太替他做媒了，問問安晴有什麼意見，看看她的反應怎麼樣。

他的腳步輕鬆下來了，誰家的梔子花枝探出牆來了，帶著雨水的花朵打濕了他的脖頸，他順手摘下那朵花來，捏在手指中搓轉著。幽香而熟悉的味道。

他抬起頭看看天空，是不是還會落雨？不會了，是個晚來晴的天氣。

前面就是綠色的小門了。

文星版後記

常常有人問我關於寫作所需時間的問題，他們問我：

「請問，〈金鯉魚的百襉裙〉這篇小說，有多少字？」

「大約七、八千字。」

「像這樣一篇作品，你要寫多久呢？」

「好像是一晚上。」

「一晚上？」

問的人沒有寫作的經驗，所以被嚇倒了，接著又羨慕的說：

「那多好，每天寫七、八千字，稿費來得可觀哪！」

被人羨慕總是好事，可是他們怎麼知道在下筆的那晚以前，這七、八千字在心中醞釀了多久呢？就拿「金鯉魚」說吧，她是我自幼年以來所見到的許多「姨太太」人物中的一個，時代是我經過的，事情是我聽到的，但那種情感就不是我當時的年齡所能體會的了。我只是看到了，聽到了，陸陸續續，多多少少，就一層層像灰塵似的，落在你的記憶裡。當你從事於寫作的時候，那些人物就把全身的灰塵撲撲撣掉，來到你的面前了。你這時已經長大，也能體會到那種時代，那種人物，那種想法和行動，以及那條滿繡梅花的百襇裙的意思了。

這樣說起來，這一篇作品雖然只是漏夜書就，但到底她們費了你多少時間啊！

這個集子裡的作品，寫作的情況大都是這樣的。因爲醞釀一篇作品的時間，遠超過執筆的，所以就特別的珍愛。原來它們都是片片「襤褸的」剪報，現在眞高興能排成一本，粉妝玉琢起來，自是別有味道了。

五十四年四月

〈附錄〉

重讀母親的小說

夏祖麗

許多年前——大概有二十五年了，那時我們還住在重慶南路三段一個巷口的日式房子裡，短短窄窄的巷子，差不多有二十戶人家。童年的玩件就是巷子裡的女孩們：毛毛、囡囡、我的同學青姐、小宜、京京、阿妹、咪樣……再加上我和姊姊。每天黃昏，做完功課，大家就聚在巷子裡遊戲，跳橡皮筋，跳房子，總是玩到天黑，家家傳出炒菜的香味才回家。

童年的記憶，就在那有梔子花香的小巷，和母親親手為我和姊姊縫製的一件件彩色繽紛的小花衣裙裡流過去了。

念了初中後，因爲煩重的功課和升學的壓力，童年的遊戲不再。而每個週末的晚上，女孩子們總喜歡聚在我們家那小小的客廳裡，盤腿坐在榻榻米上，聽母親說那些北平的古老故事，從她童年依寡母弟妹的生活，到嫁後度過的大家庭光陰，說來說去，總會談到上一代婚姻的故事，這也是我們這群女孩最感興趣的。母親的記憶力好，又是說故事的能手，大家聽得入神了，捨不得離去，總是要求她再多說幾個。

這些故事有的是從外婆那兒來的，有的是發生在母親周圍的一些親戚朋友或她所生活的大家庭中的。就像我的三伯父，因爲不敢違抗父母給他安排的婚姻，在不如意的婚姻生活下使他的肺病加重，終年纏於病榻，最後抑鬱而終。這一場毫無意義的婚姻，犧牲掉祖父母的一個讀到大學畢業的兒子，帶來無可挽回的痛心，使得二老再也沒有勇氣承擔下面六個孩子的婚姻大事了。所以從四伯父起，包括排行第六的我的父親，爺爺奶奶就放棄了「父母之命」的權利，任他們婚姻自由了。

另外在法國學藝術的五伯父，因單戀一位小姐成瘋，被送回北平，而那位小姐卻連影兒都不知道，五伯父的藝術生命也因此而完結了。這些點點滴滴母親都寫入了她的小說〈婚姻的故事〉中。

還有母親的老同學傅阿姨家的故事，傅阿姨的父親娶了她母親身邊的丫嬛爲二房。在那個時代，丈夫娶姨太太是天經地義的事，傅阿姨的母親表面大方，內心卻痛苦萬分。自從姨太太進門後，她就不再走進對面丈夫的房裡，每天躺在自己的床上，以裝病來引起丈夫的注意，另一方面也藉病來折磨丈夫和姨太太。後來三分病竟成了十分的癱瘓了。這個女人就在一盞燭光下，面對著牆躺了十幾年，一直到丈夫嚥下最後一口氣，對房揚起哭聲時，她一個人被扔在屋裡，又恨又悔。她活了一生卻癱了半生，只爲丈夫娶了姨太太。母親的一篇小說〈燭〉，寫的就是這個故事。

「姨太太」是中國舊家庭中習見的人物，我發現母親很喜歡寫「姨太太」這型人物，大概她在那時代中見得太多了。就如另一篇〈金鯉魚的百襉裙〉，寫的就是一個名叫「金鯉魚」的姨太太的一生。金鯉魚六歲被賣到許家，十六歲收房做了許老爺的姨太太，給許家生了一個大胖兒子，也是許家唯一傳宗接代的煙火，但是她的姨太太的身分並沒因此而改變。兒子知書達禮，管她叫「媽」，管元配母親叫「娘」。

金鯉魚唯一的盼望是在兒子結婚那天穿一次紅色的百褶裙，這種中國舊式的大禮服姨太太是沒有資格穿的，但是她覺得自己是許家唯一煙火的親娘，她應該可以。「金鯉魚做了一條百褶裙」的笑話傳遍了整個家庭，在兒子結婚前夕，大太太卻宣布，少爺受的是新教育，現在也是民國了，當天家裡女眷也要一律「新」起來——穿旗袍，金鯉魚的盼望落了空，她生兒子的驕傲一次次被人們壓制下去。兒子體會到母親在這個家庭中的地位，他無法去改變，只有懷著爲人子的痛苦遠度到日本求學，離開這個沉悶守舊的大家庭。

當金鯉魚去世時，兒子從日本被叫了回來。金鯉魚是妾，照規矩她的棺材是不能由大門抬出去的，受新教育的兒子再也忍不住扶棺痛哭的說：「我是姨太太生的，我可以走大門，那麼就讓我媽連著我走一回大門吧！就這麼一回！」每次母親說起這個故事時，我們都會流下眼淚。半個多世紀前一條百褶裙對一個女人的身分是那樣重要，是我們不可想像的。

母親對〈金鯉魚的百襉裙〉這篇小說的處理也很別致；在「時空」上，從古老的時代拉到現代。人物也一樣，寫的是祖母的百褶裙，卻加上未曾謀面的第三代孫女，也要穿這條百褶裙，在無意中就給了隔代的強烈的對比，孫女是活活潑潑的生活在無憂無慮的現代，而祖母是被埋葬在怎麼掙扎也不能突破的年月裡。

還有一個在舊式沖喜婚姻下的犧牲者的故事：一個少女在嫁過去一個月後丈夫就死了。這個仍是處女之身的少女從此一生留在男家，那樣陌生的婚姻，卻能使一個少女一生跌入孤單淒涼的生活，那樣的一個月，就是她一生全部的愛情和婚姻。後來母親把它寫成小說〈殉〉，這樣和以死相殉差不多吧。不過在小說中，母親卻安排讓她以對小叔子懷著微妙的感情來度過漫漫長夜。

〈燭〉、〈婚姻的故事〉、〈金鯉魚的百襉裙〉、〈殉〉寫的是母親上一代的婚姻的故事，在當年少女的我看來，那種婚姻的制度真是不可思議，就像我們讀《紅樓夢》一樣。

寫到這裡我想起來，幾年前母親的一位美國讀者卜蘭德女士，她當年來台北學中文及搜集中國兒童讀物資料，母親幫了她一些忙，後來成爲好友。有一次她訪問母親，談及母親的小說；她問母親，她的許多作品中很有一些是描寫上一代婚姻的，爲什麼？母親說，在中國新舊時代交替中，亦即五四新文化運動時的中國婦女生活，一直是她所關懷的，她覺得在那時代，雖然許多婦女跳到時代的這邊來了，但是許多婦女仍然停留在時代的那一邊沒有跳過來，這時就會產生許多因時代的轉變的故事了，母親多有感觸，所以常以此時代爲背景寫小說，雖然母親不過是那時代才出生的。卜蘭德又問母親，「那麼你對於跳過時代來的女性和未跳過來的女性，究竟是以怎樣不同的同情心寫她們的？」母親說，「無所謂。」卜蘭德笑說，「我讀你的小說，發現你是以同情沒跳過來的她們而寫的。」母親也笑了，說：「這我自己倒沒想到呢！」我想母親在下意識中確是如此，因爲母親在日常言談中，常常透露著對她上一代的「沒跳過來」的女性的敬重。

另外母親還有幾篇小說〈某些心情〉、〈瓊君〉、〈燭芯〉、〈晚晴〉寫的是她那一代的婚姻的故事，〈晚晴〉是描寫一個妻女留在大陸的中年單身漢，住在公家的大宿舍裡，每天下班後過著單調的生活。有一天，他偶然在巷口遇到一對年輕的母女——安晴和她的一歲大的女兒心心。這對母女的年齡和他當年離開大陸時妻女的年齡一樣，使他不禁把這對母女化爲自己妻女的影子。安晴楚楚的溫柔，心心童稚的笑靨溫暖了他那寂寞的心，給他的生活憑添了樂趣。但安晴有個終年在外飄泊不負責的海員丈夫，他在大陸上也有妻女。含蓄的他爲了自拔於這段感情，就離開台北，去靜靜的做自發情感的養疴，〈晚晴〉正是戰亂下多少被拆散的婚姻的故事。

〈燭芯〉的背景也在戰亂時期，寫一對年輕的小夫妻在抗日戰爭時分開，女主角元芳苦苦等待了八年，但重逢時，當年那個誓言的丈夫卻已在後方另娶了，而且還生了幾個孩子。

良心和責任使他的丈夫對兩邊都無法放棄，禁不住丈夫的一再要求，元芳容納了另一個女人，接受丈夫一個星期來住幾天像施捨似的愛情。她的一生就像一根燭似的，禁不住別人一點點感情，就把自己犧牲了。

這些婚姻的故事原都是收在母親二十多年前寫的兩本小說集《燭芯》和《婚姻的故事》裡，現在純文學出版社重排出版（這兩本書收於民國五十四年的文星叢刊，後由劉紹唐先生主持的愛眉文庫印行，現經劉先生同意，由作者自行印製）。我在校對時又重讀，心中的感受和十五、六歲時自然不同。而昔日坐在榻榻米上聽故事的童伴，也都各奔東西。我和姊姊早已爲人妻、人母，小宜嫁到高雄，生了一兒一女，有個美滿的歸宿。囡囡丟下那已破裂的婚姻，帶著一雙兒女遠赴異國。青姐是留學生婚姻下的不幸者，十年的煎熬，使她已瀕於崩潰的邊緣。去年，終於帶著破碎憔悴的身心回到娘家，但是長期受創的心靈，又豈是親情撫慰得了呢！

一代接一代，婚姻的故事似乎是永遠說不完的，但是我們這一代的婚姻的故事，是不是也應當有像母親這樣的一枝筆寫下來呢。

七十年三月十二日

國家圖書館出版品預行編目資料

金鯉魚的百襇裙／林海音文

初版，—— 臺北市：遊目族文化出版；城邦文化發行，2000〔民89〕

面：　　公分 ——（林海音作品集）

ISBN 957-745-301-5（精裝）· ISBN 957-745-302-3（平裝）

857.63　　　　89003548

〈林海音作品集3〉

金鯉魚的百襇裙

文／林海音

策劃／王開平

責任編輯／張玲玲、杜晴惠、張文玉

美術編輯／林意玲

封面設計／沈月蓮

出版者／遊目族文化事業有限公司

編輯所／台北市新生南路二段20號6樓

電話／(02)2351-7251

傳眞／(02)2351-7244

發行／城邦文化事業股份有限公司

地址／台北市民生東路二段141號2樓

電話／(02)2500-0888　傳眞／(02)2500-1938

讀者服務專線／(02)2500-7397　讀者訂閱傳眞／(02)2500-1990

郵撥帳號／18966004　城邦文化事業股份有限公司

網址／www.cite.com.tw

香港發行所／城邦（香港）出版集團有限公司

地址／香港北角英皇道310號雲華大廈4字樓，504室

電話／852-25086231　傳眞／852-25789337

E-Mail／citehk@hknet.com

馬新發行所／城邦（馬新）出版集團 Cite (M) Sdn. Bhd. (458372 U)

地址／11, Jalan 30D/146, Desa Tasik, Sungai Besi,
57000 Kuala Lumpur, Malaysia

電話／603-90563833　傳眞／603-90562833

二〇〇〇年五月初版一刷　二〇〇四年六月七刷

ISBN／957-745-301-5（精裝）　957-745-302-3（平裝）

定價／三五〇元（精裝）　二五〇元（平裝）

感謝財團法人國家文化藝術基金會贊助出版

財團法人|國家文化藝術|基金會
National Culture and Arts Foundation